Marie Ferrarella

Un amor delicioso

Editado por HARLEQUIN IBÉRICA, S.A.
Núñez de Balboa, 56
28001 Madrid

Un amor delicioso, n.º 2034 - 7.1.15
Título original: Diamond in the Ruff
Publicada originalmente por Harlequin Enterprises, Ltd.

I.S.B.N.: 978-84-687-5633-2
Depósito legal: M-28779-2014
Editor responsable: Luis Pugni
Impresión en CPI (Barcelona)
Fecha impresión Argentina: 6.7.15
Distribuidor exclusivo para España: LOGISTA
Distribuidor para México: CODIPLYRSA
Distribuidores para Argentina: Interior, DGP, S.A. Alvarado 2118. Cap. Fed./Buenos Aires y Gran Buenos Aires, VACCARO HNOS.

Prólogo

NO me recuerdas, ¿verdad?

Maizie Connors, abuela juvenil, exitosa agente inmobiliaria y casamentera por excelencia, miró al joven alto, guapo y rubio que había en el umbral de la puerta de su agencia. Hizo un rápido repaso mental de los muchos rostros con los que había interactuado en los últimos años, tanto profesional como personalmente. Pero no consiguió recordar al joven. Su sonrisa le resultaba familiar, pero el resto de su persona no.

Siempre honesta, Maizie no intentó disimular su falta de memoria. Negó con la cabeza.

—Me temo que no —admitió.

—Era mucho más joven entonces, y supongo que parecía un palitroque rubio —le dijo él.

Ella no recordaba la cara, pero la sonrisa y la voz reverberaron en su memoria. La voz del joven era más grave, pero su cadencia le resultaba familiar. La había oído antes.

—Tu voz me suena y sé que he visto esa sonrisa antes, pero… —la voz de Maizie se apagó mientras estudiaba su rostro—. Sé que no te he vendido una casa —afirmó. Eso no lo habría olvidado.

Recordaba a todos sus clientes y a todas las parejas que Theresa, Cecilia y ella habían unido en los últimos años. Desde su punto de vista, ella y sus mejores amigas habían encontrado su vocación unos años antes, cuando, desesperadas porque sus hijos se casaran y crearan sus propias familias, habían utilizado sus contactos en los tres negocios que dirigían para encontrarles parejas adecuadas.

Dado su gran éxito, habían descubierto que no podían dejarlo tras casar a todos sus retoños. Así que habían seguido con amigos y clientes.

Trabajaban en secreto, sin permitir que los dos sujetos involucrados supieran que estaban siendo emparejados. No lo hacían por afán de lucro, sino por la intensa satisfacción de saber que habían unido con éxito a dos almas gemelas.

El joven que tenía ante sí no era un cliente profesional ni privado, pero le era familiar.

—Me temo que tendrás que apiadarte de mí y decirme por qué reconozco tu sonrisa y tu voz pero no lo demás —dijo Maizie, encogiéndose de hombros. De repente, tuvo una intuición—. Eres el hijo de alguien, ¿verdad?

Se preguntó de quién. No llevaba suficiente tiempo como agente inmobiliaria ni como casamentera para que ese joven pudiera ser un fruto de su trabajo.

—Lo era —clavó en ella sus ojos azules.

«Era». En cuanto oyó eso, lo supo.

—Eres el hijo de Frances Whitman, ¿verdad?

—Mamá siempre decía que eras muy aguda —sonrió—. Sí, soy el hijo de Frances.

De inmediato, Maizie conjuró la imagen de una mujer de risueños ojos azules y sonrisa fácil, que mantenía incluso ante cualquier adversidad.

La misma sonrisa que tenía ante sí.

—¿Christopher? —titubeó—. ¡Christopher Whitman! —lo envolvió en un cálido abrazo—. ¿Cómo estás? —preguntó entusiasmada.

—Muy bien, gracias —respondió él—. Y parece que vamos a ser vecinos.

—¿Vecinos? —repitió Maizie, confusa.

No había ninguna vivienda en venta en su manzana. Estaba al tanto de todas las casas que salían a la venta en el vecindario y en el resto de la ciudad, así que Maizie supuso que el hijo de su amiga estaba equivocado.

—Sí, acabo de alquilar el local que hay a dos puertas de este —explicó él, refiriéndose al centro comercial en el que se encontraba la agencia inmobiliaria.

—¿Alquilado? —repitió ella. Esperaba que le dijera a qué se dedicaba sin tener que preguntarlo.

—Sí, me pareció que era un lugar ideal para mi consulta —respondió Christopher.

—¿Eres médico? —aventuró, dado que su propia hija era pediatra.

—De criaturas peludas, grandes y pequeñas —esbozó una sonrisa deslumbrante.

—Eres veterinario —concluyó Maizie. Dio un paso

atrás para mirarlo—. Christopher Whitman —repitió—. Te pareces mucho a tu madre.

—Me tomaré eso como un cumplido —dijo él con calidez—. Siempre agradecí que tú y tus amigas ayudarais a mamá cuando estaba en tratamiento. No me dijo que estaba enferma hasta que se acercó el final —explicó. Eso le había dolido, pero, dadas las circunstancias, no había podido sino perdonar a su madre—. Ya sabes cómo era. Muy orgullosa.

—Muy orgullosa de ti —puntualizó Maizie—. Recuerdo que me dijo que no quería interferir con tus estudios. Sabía que los dejarías si pensabas que ella te necesitaba.

—Lo habría hecho —aseveró él sin dudarlo.

Ella captó la nota de tristeza en su voz y cambió de tema. Frances no habría querido que su hijo se recriminara por una decisión que ella había tomado por él.

—Así que veterinario, ¿eh? ¿Qué más ha cambiado en tu vida desde la última vez que te vi?

—No mucho —los anchos hombros subieron y bajaron con un gesto de despreocupación.

Llevada por el hábito, Maizie miró su mano izquierda. No llevaba alianza, pero eso no implicaba necesariamente que fuera soltero.

—¿No hay una Señora Veterinaria?

Christopher, riendo, negó con la cabeza.

—No he tenido tiempo de encontrar a la mujer adecuada —confesó. No era cierto, pero no quería revisitar un tema doloroso—. Sé que mamá habría odiado esa excusa, pero así son las cosas. En fin, al ver tu nombre en la puerta, decidí venir a saludarte.

Si algún día tienes un rato, pasa por mi consulta y hablaremos de mamá —ofreció.

—Lo haré —contestó Maizie.

«Y más cosas», pensó, mientras Christopher salía. «A las chicas les va a encantar esto».

Capítulo 1

CÓMO se ha hecho tan tarde?

La exasperada, aunque retórica, pregunta resonaba en su cerebro mientras Lily Langtry recorría la casa comprobando que no había dejado las ventanas abiertas y que había echado el cerrojo de la puerta de atrás. No había habido muchos robos en su vecindario, pero vivía sola y eso la llevaba a ser cuidadosa.

Tenía la sensación de que los minutos volaban.

En otro tiempo siempre había sido más que puntual, ya se tratara de citas formales o de asuntos cotidianos. Pero eso había sido antes de que su madre falleciera, antes de quedarse sola y ser la única a cargo de los detalles de su vida.

A su modo de ver, había sido mucho más organizada y puntual cuando, además de cuidar de su madre, había tenido dos empleos para poder pagar las facturas médicas. Desde que solo era responsable de sí misma, parecía haber perdido la capacidad de organizarse. Si quería estar lista a las ocho, tenía que conminar a su mente para estarlo a las siete y media, y ni siquiera eso servía para lograr su objetivo.

Esa mañana se había dicho que saldría por la puerta a las siete. Eran las ocho y diez cuando se puso los zapatos de tacón.

—Por fin —murmuró, agarrando su bolso y lanzándose hacia la puerta mientras buscaba las llaves que, últimamente, tenían tendencia a perderse en algún rincón del enorme bolso.

Preocupada y absorta en la frenética búsqueda que estaba retrasándola aún más, Lily estuvo a punto de pisarlo.

En su defensa, no había esperado que hubiera nada en el umbral, y menos aún una bola de pelo negro en movimiento, que aulló patéticamente cuando pisó una de sus patas.

Lily saltó hacia atrás y se llevó la mano al pecho, para contener un corazón que parecía a punto de desbocarse. Al mismo tiempo, dejó caer el bolso que, tan lleno como una maleta, golpeó el suelo con fuerza, asustando aún más a la negra y peluda bola: un cachorro de labrador.

En vez de salir corriendo, como habría sido de esperar, el perro empezó a lamer una de sus sandalias y, en consecuencia, los dedos de sus pies. La lengüecita rosa le hizo cosquillas.

Sorprendida, al tiempo que encantada, Lily se agachó para ponerse a la altura del perrito, olvidando por el momento su apretada agenda.

—¿Te has perdido? —le preguntó.

Dado que estaba a su nivel, el labrador negro abandonó sus zapatos y empezó a lamerle la cara. Si hubiera habido un atisbo de dureza en el corazón de Lily, se habría convertido en papilla mientras se rendía por completo al inesperado invasor.

Cuando se puso en pie de nuevo, Lily miró a ambos lados de la calle residencial para comprobar si había alguien buscando con frenesí a su mascota perdida.

Solo vio al señor Baker, al otro lado de la calle, subiendo a su Corvette azul cielo, en el que conducía al trabajo a diario.

No prestó atención al sedán beis que había unos metros más adelante, ni vio a la mujer mayor que, encorvada en el asiento delantero, intentaba pasar desapercibida.

El perrito parecía estar solo.

Volvió a mirar al cachorro, que volvía a lamerle las sandalias. Echó un pie hacia atrás y luego el otro, pero solo consiguió que el labrador, concentrado en sus zapatos, entrara en la casa.

—Parece que tu familia aún no se ha dado cuenta de tu desaparición —le dijo.

El perrito la miró con la cabeza ladeada, como si estuviera escuchando cada palabra. Lily no pudo evitar preguntarse si el animal la entendía. Aunque cierta gente decía que los perros solo entendían las órdenes que les habían repetido una y otra vez, ella lo dudaba. El que tenía delante la miraba a los ojos y estaba segura de que entendía cada palabra.

—Tengo que ir a trabajar —le dijo al peludo e inesperado huésped.

El labrador siguió mirándola como si fuera la única persona en el mundo. Lily sabía reconocer cuándo había perdido la batalla. Con un suspiro, retrocedió y permitió al perrito acceso a la casa.

—De acuerdo, puedes entrar y quedarte hasta que vuelva —le dijo, rindiéndose a los cálidos ojos marrones que la miraban con atención.

Comprendió que, si dejaba al animal allí, tenía que proporcionarle comida y bebida. Giró sobre los talones y fue a la cocina a buscar algo.

Llenó un cuenco de agua y sacó unas lonchas de la carne asada que había comprado la noche anterior, cuando volvía a casa del trabajo.

Puso las lonchas sobre una servilleta y la dejó en el suelo, junto con el cuenco.

—Esto te bastará hasta que vuelva —le dijo al perrito que, en vez de ir hacia la comida, como había esperado, se entretenía mordisqueando una pata de la silla de la cocina.

—¡Eh! —gritó—. ¡Deja eso!

El cachorro siguió mordiendo hasta que lo apartó de la silla. Entonces la miró, confuso.

Solo llevaba cinco minutos dentro de la casa y ya se había convertido en un problema.

—Oh, cielos, te están saliendo los dientes, ¿verdad? Si te dejo aquí, para cuando vuelva todo estará devastado como si hubiera llegado una plaga de langostas, ¿verdad? —Lily suspiró. Tenían razón quienes decían que toda buena acción tenía su castigo—. Bueno, pues entonces no puedes quedarte —Lily miró la cocina y la salita que había tras ella. Casi todos los muebles, excepto el televisor, tenían más años que ella—. No tengo dinero para comprar muebles nuevos.

Como si entendiera que estaban a punto de echarlo, el perrito la miró y empezó a gemir.

Lily, de corazón blando, supo que no podía ganarle la partida a la triste bola peluda de cuatro patas. Cerrarle la puerta sería como abandonarlo en mitad de una ventisca.

—Vale, vale, puedes venir conmigo —gimió, rindiéndose—. Puede que alguien del trabajo tenga alguna idea sobre qué puedo hacer contigo.

Estudió al cachorro con inquietud, preguntándose si la mordería en el caso de que intentara agarrarlo. Su experiencia con los perros se limitaba a lo que había visto en televisión. Había comprendido que no podía dejarlo solo en casa, pero tenía la sensación de que el labrador no había sido adiestrado para obedecer.

Estuviera adiestrado o no, al menos tenía que intentar que siguiera sus instrucciones. Así que volvió hacia la puerta de entrada. El perrito la observaba con atención, pero clavado en el sitio. Lily se dio tres palmadas en el muslo. El animal ladeó la cabeza como si dijera «¿Ahora qué?

—Vamos, chico, ven aquí —lo llamó Lily, volviendo a palmearse la pierna, esta vez más rápido. El perrito se acercó con una expresión que parecía gritar: «Vale, aquí estoy. ¿Ahora qué?».

Lily no tenía respuesta a la pregunta, pero esperaba obtenerla en menos de una hora.

—Eh, no recuerdo que este sea el día de «Lleva a tu mascota al trabajo» —bromeó Alfredo Delgado, uno de los chefs empleados en la empresa de catering de

Theresa Manetti, cuando Lily entró sujetando una correa provisional, hecha de cuerda. El labrador negro estaba al otro extremo, dispuesto a investigar cada centímetro del local en cuanto lo soltara.

Theresa salió de su pequeño despacho y miró al animal con expresión inescrutable.

—Siento llegar tarde —le dijo Lily a la mujer que pagaba su sueldo—. He tenido una complicación.

—Desde aquí, se diría que la complicación te ha seguido —comentó Theresa.

Miró expectante a la joven que había acogido bajo su ala hacía poco más de un año. Había contratado a Lily como chef de repostería tras descubrir que creaba exquisiteces capaces de arrancar lágrimas de deleite a aquellos que las probaban. Pero, sobre todo, Theresa la había contratado porque Lily se había quedado sola en el mundo tras el fallecimiento de su madre. Theresa, al igual que sus amigas, Maizie y Cecilia, era una mujer muy compasiva.

Las mejillas de Lily se tiñeron de rosa.

—Lo siento, estaba en el umbral cuando abrí la puerta. No podía dejarlo suelto en la calle. Si al volver a casa me lo hubiera encontrado atropellado por un coche, jamás podría perdonármelo.

—¿Por qué no lo has dejado en tu casa? —preguntó Alfredo, curioso—. Es lo que habría hecho yo —se agachó y rascó al perrito detrás de las orejas.

—Yo también lo habría hecho —contestó Lily—, pero hay un problema: por lo visto cree que el mundo es un enorme juguete que mordisquear.

—Así que lo has traído aquí —concluyó Theresa. No sonó a pregunta ni a acusación, sino a declaración de hecho. Sus labios se curvaron divertidos mientras miraba al animal—. Asegúrate de que no entre en la cocina.

—Aquí todo es de metal —Lily señaló a su alrededor, con la esperanza de que Theresa entendiera su punto de vista. Solo era una solución temporal—. Sus dientecitos no pueden causar ningún daño —miró a su jefa—. ¿Puede quedarse hoy?

Theresa simuló pensárselo, como si no hubiera tenido nada que ver con la mágica aparición del perrito en la puerta de su repostera. Cuando Maizie había comentado que el hijo de su difunta amiga iba a abrir una clínica veterinaria a dos puertas de su agencia, para luego ofrecerlo como nuevo candidato de sus servicios «especiales», Theresa había sugerido emparejar a Christopher con Lily. Hacía tiempo que pensaba que la joven necesitaba que ocurriera algo positivo en su vida.

La estrategia para provocar un acercamiento había surgido espontáneamente cuando Cecilia les preguntó si conocían a alguien que quisiera adoptar a un cachorro. Su perra, Princesa, había tenido una camada de ocho hacía seis semanas y necesitaba colocarlos «antes de que se comieran su casa». Fue como un rayo que dio luz a su plan.

Theresa, que sabía a qué hora solía salir Lily de casa, informó a Cecilia. Esta procedió a dejar al cachorro, el más pequeño de la camada, en su puerta. Para que se quedara allí, había insertado una golosina masticable en la trama del felpudo de bienvenida. Después había corrido de vuelta al coche a esperar hasta que Lily abriera la puerta.

Una vez aceptada su presencia en el local de catering, el perrito procedió a olisquear e investigar cada rincón.

Lily lo vigilaba como un halcón, temiendo que hiciera algo terrible. Theresa era una persona maravillosa, pero todo el mundo tenía su límite y no quería que fuera el cachorro quien superara el de su jefa.

—Perdón, Theresa… —empezó Lily, apartando al cachorro de un rincón en el que había varias cajas de cartón—, ¿cuántos años tienen tus nietos?

—¿Por qué? —Theresa le dedicó una mirada intencionadamente disuasoria.

—¿No les encantaría tener un perrito? —ofreció Lily con una sonrisa animosa—. Podrías sorprenderlos con Jonathan.

—¿Jonathan? —Theresa enarcó una ceja, interrogante.

—El cachorrito —Lily señaló al labrador—. Tenía que llamarlo de alguna manera —explicó.

—Le has puesto nombre. Eso significa que ya te has encariñado —apuntó Alfredo, riéndose como si eso diera el asunto por concluido.

Lily esbozó una expresión de pánico. No quería encariñarse con nada. Aún estaba intentando superar la pérdida de su madre y reorganizar su vida. Asumir algo nuevo, aunque fuera una mascota, era inviable.

—No, claro que no —protestó—. Simplemente no podía seguir llamándolo «él».

—Claro que podías —la contradijo Alfredo con certidumbre—. Que no quisieras hacerlo significa que ya has creado un vínculo con esa inquieta bola de pelo.

—No, nada de vínculos —negó Lily con firmeza—. Ni siquiera sé cómo relacionarme con un animal. La única mascota que he tenido en mi vida fue un pececito de colores, Seymour, y solo vivió dos días —no dijo que eso la había convencido de que no estaba capacitada para ocuparse de mascota alguna.

—Entonces, ya es hora de que vuelvas a intentarlo, Lily —aseveró Alfredo que, obviamente, no veía las cosas de la misma manera—. No puedes aceptar la derrota con tanta facilidad.

—Theresa... —Lily apeló a la compasión de su jefa.

—Estoy de acuerdo con Alfredo —Theresa le puso una mano en el hombro—. Además, todavía no puedes darle el perro a nadie.

—¿Por qué? —peguntó Lily.

—Porque su dueño podría estar buscándolo en este mismo momento —explicó Theresa con un cuidado aire de inocencia.

Lily resopló. No había pensado en eso.

—Tienes razón —admitió, avergonzada—. Haré carteles y los pegaré por el barrio.

—Entretanto —continuó Theresa, mirando pensativamente a la bola de pelo negro—, te sugiero que compruebes que el animalito está sano.

—¿Y cómo voy a hacer eso? —inquirió Lily, que no tenía la más mínima noción de cómo cuidar a un ser no humano. Ni siquiera se le daban bien las plantas. Como todas se marchitaban y morían cuando caían en sus manos, había renunciado a intentarlo. La idea de ocuparse de un perro le provocaba escalofríos.

—Bueno, para empezar, si yo fuera tú, lo llevaría a un veterinario —sugirió Theresa.

—¿Un veterinario? —miró al perrito, que parecía embelesado con Alfredo. En ese momento, el chef lo deleitaba rascándole las orejas y el morro—. No parece enfermo. ¿Es necesario?

—Sin duda —contestó Theresa sin el menor titubeo—. Piénsalo, si alguien lo está buscando, ¿qué impresión darías si devolvieras al perro enfermo? Hasta podrían denunciarte por negligencia.

Lily se sintió acorralada. Lo último que deseaba era involucrarse en el cuidado de un ser vivo. Miró a Jonathan con inquietud.

—Ojalá no hubiera abierto la puerta esta mañana —se lamentó.

—Oh, ¿cómo puedes decir eso? Mira esta adorable carita —urgió Theresa, alzando la barbilla del perrito y volviendo su morro hacia Lily.

—Intento no hacerlo —contestó Lily con sinceridad. Pero Theresa tenía razón. No quería arriesgarse a que le pasara algo mientras estuviera temporalmente a su cargo. Temporalmente, sin duda—. En fin, ¿cómo busco a un veterinario que sea bueno pero no caro? No sé por dónde empezar —admitió mirando a Theresa, que había sido quien había sacado el tema a colación.

—Pues has tenido suerte —Theresa esbozó una sonrisa casi beatífica—. Sé de uno que acaba de abrir una clínica a dos puertas del negocio de una de mis mejores amigas. Le llevó a su perro Lazarus y asegura que hizo milagros con él.

Que Maizie no tuviera perro era un detalle sin importancia en el conjunto del plan. Por norma, Theresa no mentía, pero en ciertos casos había que flexibilizar las normas, o saltárselas por completo.

—¿Quieres que la llame para pedirle su número de teléfono? —sugirió.

—Claro, ¿por qué no? —Lily, resignada, se encogió de hombros. Parecía tan buen plan como cualquier otro—. ¿Qué puedo perder? Solo es cuestión de dinero, ¿no?

Theresa sabía que la joven no andaba sobrada de dinero, así que decidió proponer lo que consideraba una inversión en la felicidad futura de Lily.

—Mira, hemos tenido un mes muy bueno. Yo pagaré la visita al veterinario —ofreció, acariciando la cabeza del inquieto perrito. Este se detuvo un segundo para disfrutar de la caricia y luego volvió concentrarse en olisquear todo lo que había a su alrededor—. Considéralo un regalo de mi parte.

—¿Y yo qué? —dijo Alfredo, simulando sentirse maltratado—. ¿Tienes algún regalo para mí, jefa?

—También pagaré tu visita al veterinario, si decides que necesitas ir —le devolvió Theresa, ya girando para entrar en su despacho.

Cerró la puerta y fue hacia el escritorio. No le gustaban los teléfonos móviles; en su opinión la conexión siempre era más clara en una línea fija. Alzó el auricular y marcó un número.

—Connor. Inmobiliaria —contestó Maizie.

—Houston, tenemos un despegue —susurró Theresa con tono teatral.

—¿Theresa? ¿Eres tú?

—Claro que soy yo. ¿Quién si no iba a llamarte y decir algo así?

—No tengo ni idea. Theresa, no te ofendas, pero es obvio que ves demasiadas películas. ¿Qué se supone que quieres decir?

—Que Lily va a llevarle el cachorro al hijo de Frances —replicó Theresa con voz impaciente.

—¿Y por qué no has dicho eso?

—Porque eso suena muy normal.

—A veces, Theresa, lo normal está muy bien. ¿Va a llevárselo hoy?

—Eso es lo que le he sugerido.

—Perfecto —dijo Maizie con entusiasmo—. No hay nada como estar a dos puertas de un amor a punto de alzar el vuelo.

—No veo que eso sea diferente de «Houston tenemos un despegue» —protestó Theresa.

—Puede que no, Theresa —concedió Maizie, sobre todo porque sabía que a su amiga le gustaba tener la razón—. Puede que no lo sea.

Capítulo 2

LO primero que sorprendió a Christopher cuando entró en la Sala 3 fue que la mujer estuviera de pie, no sentada. Era obvio que se sentía incómoda. El perrito que había con ella parecía ser quien dominaba la situación. Sonrió mientras evaluaba lo que veía.

—El perro no es tuyo, ¿verdad?

—¿Cómo lo sabes? —preguntó Lily, atónita.

Solo le había dado su nombre a la recepcionista, una joven morena, llamada Erika, que había asentido y le había dicho que «la señora Manetti ha llamado para avisar sobre su visita». Después, uno de los ayudantes del veterinario la había conducido, junto con Jonathan, a la sala de consulta.

—¿Te lo ha dicho Theresa? —preguntó Lily.

—¿Theresa? —repitió Christopher, confuso.

Lily decidió que su hipótesis era errónea.

—Es igual. ¿Cómo sabes que no es mío? —se

preguntaba si los dueños de animales tenían un aspecto especial. Algún rasgo inherente del que carecía el resto de los mortales.

—Lleva una cuerda al cuello —apuntó Christopher, señalando con la cabeza al inquieto perrito, que parecía ansioso por correr de un rincón a otro.

Lily pensó que seguramente consideraba eso un rasgo de crueldad hacia los animales.

—La necesidad es la madre de la ciencia —dijo—. Hice un lazo y até la cuerda porque no tenía otra forma de asegurarme de que me siguiera.

El aura de vulnerabilidad de la joven de pelo largo y castaño lo atrajo. Christopher la estudió, pensativo y serio, para evitar que creyera que le hacía gracia y se estaba riendo de ella.

—No tenías una correa —concluyó él.

—No —confirmó Lily. Después, porque pensó que seguramente necesitaba más información para evaluar la salud del perrito, explicó la situación al guapo veterinario—. Lo encontré en mi puerta; de hecho, tropecé con él.

—Y supongo que no sabes de quién es.

—No. Si lo supiera, se lo habría devuelto a su dueño —dijo Lily—. Pero no lo había visto hasta esta mañana.

—Entonces, ¿cómo sabes que el perro se llama Jonathan? —que él viera, el animal no llevaba ninguna chapa de identificación.

—No lo sé —ella se encogió de hombros.

Christopher la estudió con curiosidad. Algo no cuadraba.

—Cuando llegaste, le dijiste a mi recepcionista que el perro se llamaba Jonathan.

—Es como yo lo llamo —explicó ella rápidamente—. No quería decir «perrito» o «eh, tú», así que le puse un nombre —la joven encogió los hombros con cierta impotencia—. Parece que le gusta. Al menos me mira cuando lo llamo así.

Christopher, decidió corregir esa interpretación, inofensiva pero errónea.

—Eso ocurre cuando se utiliza la entonación apropiada —le dijo—. Te contaré un secreto —bajó el tono de voz como si fuera a hacerle una confesión—. Si dijeras «Nevera» con el mismo tono, respondería exactamente igual.

Para demostrárselo, Christopher rodeó la camilla hasta situarse detrás del perrito. Una vez allí, llamó «Nevera» al perro. Jonathan volvió la cabeza y dio unos pasos para ver mejor a quién lo llamaba.

—¿Lo ves?

Ella asintió, pero en opinión de Christopher parecía más abrumada que convencida. Él había nacido amando a los animales y su mundo siempre había estado lleno de criaturas, grandes y pequeñas. Tenía una afinidad natural por ellas, heredada de su madre.

Opinaba que todo el mundo debería tener una mascota, porque los animales mejoraban la calidad de vida de sus dueños, y viceversa.

—Veamos, ¿cuánto tiempo hace que estáis juntos Jonathan y tú? —suponía que no hacía mucho, dado que el perrito y ella no parecían haber encontrado el ritmo adecuado aún.

Lily miró su reloj antes de responder.

—Dentro de diez minutos hará tres horas, más o menos —dijo.

—Tres horas —repitió él.

—Más o menos —añadió ella con voz queda.

Christopher hizo una pausa. Mientras estudiaba a la diminuta y atractiva joven que tenía ante sí, las esquinas de sus ojos se arrugaron por la sonrisa que afloró a su rostro.

—Nunca has tenido un perro, ¿verdad? —era una pregunta retórica. Tendría que haberlo adivinado en cuanto la había visto, no parecía nada cómoda.

—¿Se nota? —ella no supo si sentirse sorprendida o avergonzada por la pregunta.

—Das la impresión de tener miedo de Jonathan.

—No lo tengo —protestó ella con demasiado énfasis. Al comprobar que el veterinario seguía mirándola en silencio, se relajó un poco—. Bueno, no mucho —un segundo después, siguió—: Es muy rico y todo eso, pero tiene esos dientes…

—La mayoría de los perros los tienen —Christopher contuvo una risa—. Al menos, los sanos —se corrigió, pensando en un perro vagabundo al que había tratado en la perrera municipal unos días antes.

Lily sabía que no se estaba expresando bien. A veces le resultaba difícil comunicarse. Su destreza residía en la repostería que creaba, no en expresar sus pensamientos ante gente desconocida.

—Pero Jonathan lo muerde todo —dijo, tras animarse a intentarlo de nuevo.

—Eso tiene su razón. Está echando los dientes —explicó Christopher—. Cuando era niño, uno de mis primos hacía lo mismo —le confió—. Mordía todo y a todos hasta que terminaron de salirle los dientes de leche.

Como si quisiera darle la razón, el perrito intentó clavar los dientecillos en la mano del veterinario. En vez de quejarse, Christopher se rio y le acarició la cabeza con afecto. Antes de que Jonathan pudiera intentarlo por segunda vez, sacó un mordedor de goma con sonido del bolsillo de la bata. Jonathan miró el objeto: un pulpo verde lima con patas largas y rizadas.

El ambiente se llenó de ruidos agudos y chillones cuando el perrito concentró toda su energía en morder su nuevo juguete.

Durante un segundo, Christopher creyó captar un atisbo de envida en los ojos de la joven. Un leve rubor había teñido sus mejillas.

—Seguramente piensas que soy tonta —dijo Lily.

Lo último que él quería era que pensara que la estaba juzgando, bien o mal. No podía negar que se sentía atraído por ella.

—Lo que pienso es que tal vez necesites un poco de ayuda y guía en este tema —la corrigió.

«Oh, Dios, sí», estuvo a punto de exclamar Lily, pero consiguió controlarse a tiempo.

—¿Tienes algún libro que pueda leer? —preguntó con tono esperanzado.

—Si quieres leer alguno, puedo recomendarte varios —Christopher inclinó la cabeza, tenía algo más personal e inmediato en mente—. Pero siempre me ha parecido mejor la ayuda visual.

—¿Algo como un DVD? —inquirió Lily, sin saber bien a qué se podía referir.

—Algo más directo —sonrió él.

Durante un instante, Lily se perdió en la sonrisa del veterinario. Sintió algo raro, tal vez una mariposa, revolotear en su estómago. Parpadeó, convencida de que lo había entendido mal.

El hombre era una sinfonía de encanto, desde el pelo rubio oscuro, pasando por el atractivo rostro con hoyuelos hasta los anchos hombros. Ella estaba acostumbrada a ser casi invisible ante personas tan dinámicas como él. Cuanto más vibraban, más se desvaía ella, como si se encogiera ante la efervescencia de los demás.

Teniendo eso en cuenta, parecía poco plausible que Christopher hubiera dicho lo que había creído entender. Decidió aclarar las cosas.

—¿Estás ofreciéndote a ayudarme con el perro?

Para su sorpresa, en vez de parecer molesto o desechar la pregunta por completo, él se rio.

—Si necesitas preguntarlo, debo haberlo hecho muy mal, pero sí, me estoy ofreciendo como voluntario —de repente, se le ocurrió algo importante—. A no ser, claro, que tu marido o novio, o ser querido, se oponga a que te guíe por los vericuetos de la propiedad de un perrito.

Lily tenía su imagen de persona sin pareja tan asumida que suponía que todo el mundo la veía así. Que el veterinario considerara otra posibilidad la desconcertó un poco.

—No hay marido, novio ni ninguna otra persona que pueda oponerse —dijo. Su aclaración fue recompensada con otra destellante sonrisa.

—Ah, entonces, a no ser que tengas alguna objeción, puedo acompañarte al parque canino este fin de semana, para darte algunas pistas.

Ella ni siquiera había sabido que existieran los parques caninos, y menos en Bradford, pero optó por no expresar su desconocimiento.

—En cualquier caso —añadió el veterinario—. Hay algo que debo corregir ahora mismo.

—¿Qué estoy haciendo mal? —Lily se preparó para escuchar sus críticas.

—No tú, yo —enmendó él, afable—. Acabo de referirme a la propiedad de un perrito.

—Si, lo sé, te he oído —dijo ella, sin entender adónde quería llegar con ese comentario.

—En realidad, es incorrecto —dijo él—. Eso indicaría que eres propietaria del perrito, cuando en realidad…

—¿El perrito es propietario de mí? —adivinó ella. No le costaba imaginarse al cachorro tomando las riendas de la situación, pero Christopher negó con la cabeza.

—Sois dueños el uno del otro, y a veces, incluso esos límites se emborronan un poco —admitió él—. Si lo haces bien, la mascota se convierte en parte de tu familia y tú en la familia de ella.

Durante un momento, Lily se olvidó de resistirse a experimentar los sentimientos a los que se refería el veterinario. Y también se permitió creer que podía ser parte de algo mayor que sí misma, dado que eso prometía paliar la soledad que sentía cuando no estaba en el trabajo.

Cuando regresaba a su casa y a su existencia solitaria.

Rápidamente, se obligó a echar el cerrojo y dar marcha atrás, retrayéndose al mundo espartano en el que había vivido desde la muerte de su madre.

—Eso suena parecido a algo que leí una vez en un libro infantil —dijo con voz cortés.

—Es muy probable —concedió Christopher—. Los niños ven el mundo de forma mucho más honesta que nosotros. No suelen tener que inventar excusas ni buscar maneras de expresar lo que sienten, simplemente, sienten —enfatizó la última palabra con admiración. Después volvió al tema que los ocupaba—. Como tu relación con Jonathan se limita a unas horas, supongo que no tienes información sobre su corta vida.

—Ni la más mínima —confesó ella.

Christopher, sin comentarios, centró su atención en el paciente de cuatro patas.

—Bueno, voy a calcular su edad…

—¿Cómo puedes hacer eso? —preguntó ella, sintiendo curiosidad por el procedimiento.

—Por sus dientes —aclaró Christopher—. Los mismos dientes que te han mordido —esbozó una sonrisa indulgente que a ella le pareció de lo más sexy—. Le han salido los dientes de leche. Parece un labrador de pura raza, así que puedo aplicar el patrón general de tamaño y crecimiento. Teniendo en cuenta los dientes y el tamaño de sus patas en relación con el resto del cuerpo, diría que no tiene más de cinco o seis semanas. También, por sus patas, puedo predecir que va a ser un perro muy grande —concluyó el veterinario.

Ella miró al perrito. Jonathan parecía estar esforzándose por atraer la atención del veterinario. Indiscutiblemente, el cachorro era encantador, siempre y cuando no la estuviera mordiendo.

—Bueno, supongo que eso no es algo que yo vaya a ver —murmuró, más para sí misma que para el hombre que examinaba al animal.

—¿Te importa que te pregunte por qué no? —Christopher la contempló con curiosidad.

—No.

—¿No? —repitió él, sin saber cómo interpretar la respuesta.

—Quería decir que no me importa que me lo preguntes —Lily se recriminó mentalmente. Sin duda, ese día su cerebro trabajaba a cámara lenta.

—¿Y la respuesta a mi pregunta es…? —la animó él, al ver que no ofrecía más información.

—Oh.

Un intenso rubor acompañó al monosílabo. Lily no sabía por qué estaba comportándose como la típica tonta del pueblo. Era como si hubieran sumergido su cerebro en sirope y este, embotado, fuera incapaz de recuperar su velocidad normal.

—Porque en cuanto salga de aquí con Jonathan, voy a preparar carteles y pegarlos por el vecindario —le aclaró al veterinario. Dibujaba bastante bien, y pensaba dibujar al perrito en el póster—. Alguien tiene que estar buscándolo por ahí.

—Si no piensas quedártelo, ¿por qué lo has traído para que lo examinara?

—No quería arriesgarme a que tuviera algún problema —contestó ella, pensando que al veterinario tendría que haberle parecido obvio—. Aunque no vaya a quedármelo, no tengo por qué tratarlo con negligencia.

—¿Así que eres una buena samaritana?

Ella rechazó lo que podría haber interpretado como un cumplido. Desde su punto de vista, no estaba haciendo nada especial, solo lo que haría cualquiera en su lugar, siempre que tuviera un atisbo de conciencia.

—Sí, algo así.

—Pues creo que Jonathan tuvo suerte al elegir tu puerta como campamento —se agachó para ponerse a la altura del perro—. ¿Verdad, chico? —preguntó con afecto, acariciándole la cabeza.

De nuevo, el perro reaccionó con entusiasmo, restregando la cabeza contra la mano del hombre y apretándose contra su cuerpo.

Lily tuvo la impresión de que el labrador pretendía fundirse con el veterinario.

—Bueno —dijo Christopher después de examinar brevemente al cachorro—, como parece bastante sano, ¿por qué no esperamos hasta la semana que viene antes de continuar con el examen? Luego, si nadie responde a tus anuncios, puedes traer a Jonathan otra vez y empezaré a vacunarlo.

—¿Vacunarlo? —cuestionó Lily.

Por su tono de voz, Christopher comprendió que la bien formada joven ni siquiera había pensado en eso. Era comprensible, teniendo en cuenta que nunca había tenido un perro.

—Los perros, igual que los niños, necesitan ser inmunizados —le aclaró.

—Ya —murmuró ella. Recordaba haber oído algo así en algún momento de su vida.

Christopher sonrió al oír su acuerdo tácito.

—Si no recibes una llamada de un dueño frenético antes del fin de semana, ¿te parecería bien una cita en el parque el domingo, alrededor de las once? —sugirió.

—Una cita —repitió ella.

Al ver cómo se habían ensanchado sus ojos, Christopher comprendió que no tendría que haber utilizado la palabra «cita». Había sido un descuido por su parte. Así que optó por quitar importancia a lo que podría convertirse en una situación comprometedora para ambos.

—Sí, pero tengo la sensación de que a Jonathan podría no gustarle ese término. Así que, por sencillez, y posiblemente por salvar la reputación de Jonathan —guiñó un ojo a Lily, que volvió a sentir una mariposa en el estómago—, ¿qué te parece si lo llamamos sesión de adiestramiento?

«Sesión de adiestramiento».

Esa frase conjuró en la mente de Lily una imagen que implicaba mucho trabajo.

—¿Harías eso? —preguntó, incrédula.

—¿Llamarlo sesión de adiestramiento? Claro.

—No, es decir, ¿por qué ibas ofrecerte a enseñarme a adiestrar al perro? —Lily pensó que tenía que aprender a expresase mejor.

—Porque, por experiencia personal, sé que vivir con un perro no adiestrado puede ser un infierno, para el perro y para la persona. Adiestramiento es sinónimo de supervivencia mutua —explicó él.

—Pero ¿no estás ocupado? —preguntó ella sintiéndose culpable por irrumpir en los planes de fin de semana del veterinario. Aunque estaba agradecida, la preocupaba estarle pareciendo necesitada o claramente inepta.

Christopher pensó en las cajas sin abrir que había por toda la casa, desde hacía ya tres meses, esperando a que las vaciara y acabara de instalarse. Había vuelto a la casa familiar, que no había vendido tras la muerte de su madre, porque, en su situación, le había parecido lo más natural. Ayudar a la mujer a entender al perrito hiperactivo era una buena excusa para retrasar un poco más el vaciado de las irritantes cajas.

—No más que cualquier persona normal —dijo.

—Si el perro sigue conmigo para el fin de semana, no podría pagarte la sesión de adiestramiento. Al menos, no de golpe. Pero podríamos acordar el pago a plazos —sugirió ella, que no quería parecer desagradecida.

—No recuerdo haber pedido ningún pago.

—Entonces, ¿por qué ibas a esforzarte tanto para ayudarme? —preguntó ella, desconcertada.

—Considéralo como un primer paso para ganarme una medalla al mérito.

Ella abrió la boca para decirle que no necesitaba su caridad, pero justo entonces una de sus ayudantes llamó a la puerta.

—Doctor, los pacientes se acumulan —dijo.

—Voy ahora mismo —replicó él. Se volvió hacia Lily—. Te veré en el parque canino el domingo a las once. Si tienes alguna pregunta antes de entonces, no dudes en llamarme. Estoy localizable aquí durante el día y en el móvil fuera del horario de trabajo.

—¿Aceptas consultas fuera de horario? —se sorprendió Lily.

—Los animales, igual que los niños, no se limitan a enfermar de ocho a seis —dijo él, abriendo la puerta.

—Espera, ¿cuánto te debo por la consulta de hoy? —preguntó ella, olvidando que la encargada de eso debía de ser la recepcionista.

—No cobro por hablar —respondió él, saliendo. Un perro ladraba con impaciencia en el vestíbulo.

Desapareció antes de que ella pudiera recordarle que, aunque brevemente, había examinado a Jonathan.

Capítulo 3

LILY estaba segura de no haber oído bien al hombre. Aunque no le hubiera puesto ninguna inyección a Jonathan, ni tomado muestras para hacer análisis, el veterinario había pasado al menos veinte minutos hablando con ella sobre el perro y le había echado un vistazo. A su modo de ver, eso era una consulta.

Lily estaba más que dispuesta a hacer favores a la gente, pero nunca le había gustado recibirlos, porque la ponía en la situación de deber algo a alguien. Agradecía al veterinario que se hubiera interesado por el perrito que tenía temporalmente a su cargo y la alegraba que se hubiera ofrecido a instruirla sobre cómo convivir pacíficamente con él, pero no iba a aceptar que lo hiciera de forma gratuita. No habría estado bien.

Lily tomó aire, sacó el talonario del bolso y se preparó para enfrentarse de nuevo al perrito. Miró a

Jonathan y se esforzó por imponer a su voz un tono autoritario.

—Ahora vamos a salir de aquí, Jonathan. Intenta no tirar de mí esta vez, ¿de acuerdo?

Si el cachorro entendió lo que le pedía, optó por hacer caso omiso, porque en cuanto abrió la puerta salió como una exhalación. Como ella tenía la cuerda enrollada en la muñeca, se detuvo, a la fuerza, de forma abrupta y casi cómica, dos segundos después.

El perrito, a juicio de Lily, la miró con reprobación. Se sintió obligada a justificarse.

—Te he pedido que no corrieras —dijo, mientras iba hacia la salida.

Al ver cómo la miraba Erika, la recepcionista, se ruborizó.

—Seguramente pensarás que estoy loca, por hablarle al perro.

—Al contrario, la mayoría de los dueños de una mascota pensarían que estás loca si no lo hicieras. Nos entienden —explicó la chica, señalando a Jonathan con la cabeza—. Pero a veces prefieren no escuchar. En eso, son como niños —añadió—. Sin embargo, es probable que, a largo plazo, las mascotas resulten ser más leales.

—No me planteo ningún «largo plazo». Solo estoy cuidando de él hasta que su propietario lo reclame —le explicó Lily a la recepcionista. Puso el talonario sobre el mostrador, lo abrió y sacó el bolígrafo—. ¿Por cuánto hago el cheque? —sonrió con timidez.

Entretanto, Jonathan tiraba de la cuerda, desesperado por alejarse de la clínica y, posiblemente, también de Lily.

Erika, tras consultar el documento que había sido

remitido a su ordenador un momento antes, alzó la cabeza y miró a Lily.

—Nada —contestó.

—Por la consulta —insistió Lily. El veterinario no podía haber dicho en serio que no iba a cobrarle.

—Nada —repitió Erika.

—Pero el doctor Whitman ha visto al perro —protestó Lily.

—Pues no va a cobrar por verlo —dijo Erika, tras consultar de nuevo la pantalla—. Sin embargo, veo que ha escrito algo aquí —la recepcionista leyó la columna de «instrucciones especiales».

Lily sentía que su brazo se alargaba por momentos. En su opinión, el perro tenía demasiada fuerza para ser tan pequeño. Tiró de él.

—¿El qué? —preguntó.

—Un momento.

Erika abrió un cajón lateral y revolvió en él. Tardó un minuto en encontrar lo que buscaba.

—El doctor Whitman quiere que le dé esto.

«Esto» resultó ser no una cosa, sino dos. Un collar trenzado, azul brillante, del tamaño adecuado para un cachorro, y una correa a juego.

Erika colocó ambas cosas en el mostrador.

—Un collar y una correa —dijo, cuando la mujer que acompañaba a Jonathan se limitó a mirar los artículos—. El doctor Whitman tiene «algo» en contra de las cuerdas. Teme que los animales puedan llegar a estrangularse con ellas.

Dada la propensión del perrito a lanzarse en cualquier dirección, tenía sentido contar con un collar y una correa que no dañaran su cuello. Lily no podía oponerse.

—De acuerdo, ¿cuánto debo por el collar y la correa? —preguntó.

—Nada —contestó Erika. La respuesta se repetía.

—Tienen que costar algo —insistió Lily, a quien tanta amabilidad empezaba a parecerle ridícula.

Toda su vida había tenido que pagar, a veces muy caro, por cuanto había necesitado o utilizado. Aceptar algo, ya fuera un servicio prestado o un artículo, sin pagar su precio no le parecía correcto. Además ofendía a su sentido de la independencia.

—Muy poco —le dijo Erika. Al ver que la mujer la miraba con escepticismo, se explicó—: El doctor Whitman compra cajas enteras, como regalo para los clientes. Considéralo un gesto de buena voluntad —le aconsejó.

Lily lo veía como un gesto de caridad que la ponía en deuda, aunque para el veterinario fuera un gesto sin importancia. Decidió intentarlo por última vez.

—¿Estás segura de que no puedo pagar, hacer una contribución a vuestro fondo para animales abandonados, o algo así?

—Estoy segura —contestó Erika. Señaló la pantalla de su ordenador para dejarlo claro—. Lo dice aquí: «sin cargo». Presionó dos teclas y la impresora que había a un lado escupió una copia impresa del documento. Entregó la hoja a la cuidadora del perrito—. ¿Lo ves? —preguntó Erika con una sonrisa.

Lily aceptó la hoja. Dado que no le permitían pagar ni la consulta ni los dos objetos que tenía en la mano, hizo lo único que podía hacer, dar las gracias.

—De nada —contestó Erika. Salió de detrás del mostrador y se acercó al labrador, que seguía tirando de la cuerda con todas sus fuerzas.

—¿Por qué no le pongo el collar mientras tú lo sujetas? —sugirió Erika—. Así no podrá escapar.

—Eres como un ángel caído del cielo —Lily suspiró con alivio. Había estado preguntándose cómo sustituir la cuerda por el collar y la correa que acababa de recibir sin que el perrito corriera como un loco hacia la libertad.

—No, solo soy la recepcionista de una clínica veterinaria con bastante experiencia en estos temas —corrigió Erika con modestia.

Tardó menos de un minuto en poner el collar al perro y enganchar la correa. Solo entonces, soltó la cuerda. Un momento después, colgaba, lacia e inútil, de la mano de Lily.

Lily la dejó en el mostrador.

—Bueno, ya estáis listos para salir —dijo Erika, poniéndose en pie. En cuanto acabó de hablar, Jonathan se lanzó hacia la puerta como un poseso—. Creo que Jonathan está de acuerdo —rio Erika—. Espera, te sujetaré la puerta —ofreció.

En cuanto la puerta dejó de ser un obstáculo, el perro se lanzó hacia la libertad del mundo exterior. Lily estuvo a punto de perder el equilibrio.

—¡Adiós! —gritó por encima del hombro, trotando tras el perro y esforzándose para no acabar en el suelo. Jonathan parecía no ser consciente de que intentaba sujetarlo.

—Les doy dos semanas. Un mes como mucho —murmuró Erika para sí. Movió la cabeza, cerró la puerta y volvió tras el mostrador.

En cuanto ella y su energético y peludo acompañante volvieron al local de catering de Theresa, sus colegas de trabajo los rodearon. Todos le lanzaban preguntas sobre la visita de Jonathan a la nueva clínica veterinaria. El perro era el centro de atención y parecía disfrutar ladrando y lamiendo las manos que se extendían para acariciarlo.

Para su sorpresa, Lily descubrió que era la única de la plantilla que nunca había tenido una mascota; si obviaba los dos días, hacía veinte años, que cuidó de un pez de colores.

En consecuencia, aunque Jonathan tenía prohibida la entrada a la cocina, por cuestiones tanto prácticas como sanitarias, se le permitió correr libremente por el resto del local. Todo el mundo, Theresa incluida, lo acariciaba, jugaba con él y le daba comida. En pocos minutos se había convertido en la mascota de la empresa.

Como no tenían programado ningún catering hasta la tarde siguiente, el ambiente en el local no era tan tenso y ajetreado como otras veces. Alfredo y su equipo estaban en la fase de planificación y preparación del menú del día siguiente. Zac Collins, el encargado de las bebidas, había salido a comprar los vinos y licores que se servirían en la celebración. Lili estaba en la fase semifinal de preparación, diseñando los postres que crearía para la ocasión.

Theresa, que supervisaba los progresos del personal, vio que Lily, además de planificar, había horneado una bandeja de pastas, ligeras como el aire y rellenas de crema.

—¿Has decidido hacer una prueba? —preguntó Theresa, acercándose a la joven.

—En cierto modo —contestó Lily. Después, dado que Theresa, más que jefa, era como una madre para ella, hizo una pausa y le contó lo que tenía en mente—. ¿Recuerdas que me recomendaste un veterinario para Jonathan?

La expresión de Theresa se mantuvo inescrutable, aunque su mente se aceleró. Temía que hubiera surgido algún problema u obstáculo que pudiera interponerse con el plan de Maizie.

—¿Sí?

—No me dejó pagarle por la consulta —dijo Lily, con el ceño fruncido.

—¿En serio? —Theresa hizo lo posible por sonar sorprendida e incrédula, en vez de triunfal y esperanzada, que era como se sentía en realidad.

—En serio —repitió Lily—. No me gusta deberle nada a nadie —añadió.

—Cielo, a veces hay que aceptar lo que la gente nos regala —empezó Theresa. Lily la interrumpió.

—Lo sé. Por eso estoy haciendo esto —señaló la bandeja que acababa de sacar del horno—. He pensado que, ya que dispensó gratis sus conocimientos veterinarios, debería devolverle el favor y llevarle una muestra de mi especialidad como regalo.

A esas alturas, Theresa sonreía de oreja a oreja. No pudo evitar pensar que Maizie había acertado una vez más.

—Me parece una idea muy razonable —corroboró. Echó un vistazo a su reloj. Eran casi las cuatro de la tarde. Maizie había mencionado que Christopher cerraba la clínica a las seis. No quería que Lily se perdiera la ocasión de volver a verlo—. Como hoy no tenemos ningún catering, ¿por qué no aprovechas para volver a la clínica y llevarle las pastas al veterinario mientras aún estén calientes? —sugirió.

Lily esbozó una sonrisa de agradecimiento, eso era justo lo que deseaba hacer. Pero antes tenía que ocuparse de un detalle más que insignificante. Miró a su alrededor.

—¿Dónde está Jonathan?

—Meghan lo mantiene ocupado —aseguró Theresa, refiriéndose a una de las camareras de la plantilla. La rubia jovencita también se ocupaba de la barra de bar cuando Zack estaba liado con otras cosas—. ¿Por qué? —sonrió—. ¿Estás preocupada por él?

—No quiero dejarlo aquí solo mientras voy a la clínica —no quería ni empezar a explicar la cantidad de desperfectos que el perrito podía ocasionar en un periodo de tiempo muy corto.

—No esta solo —la contradijo Theresa—. Hay alrededor de ocho pares de ojos puestos en él en todo momento. Si acaso, podría sentirse demasiado vigilado. Vete, llévale al veterinario tus pastas de agradecimiento. Me da la impresión de que es muy posible que se las haya ganado —especuló.

—Si no te importa —Lily la miró titubeante.

—Si me importara, no estaría empujándote hacia la puerta —apuntó Theresa—. ¡Vete ya! —ordenó.

Lily salió antes de que acabara de hablar.

Cuando el timbre anunció la llegada de un paciente más, Christopher tuvo que contener un profundo suspiro. No porque le importara tratar a sus pacientes, en absoluto. Disfrutaba haciéndolo, incluso cuando alguno suponía un reto a sus conocimientos. No le importaba dedicar todo su tiempo a la clínica. Lo que odiaba era el papeleo. Todo lo relacionado con el papeleo le resultaba tedioso, aunque admitía que era necesario.

Por eso contaba con dos recepcionistas, una por la mañana y otra por la tarde, que se ocupaban de registrar todos los datos y actualizar los informes.

Sin embargo, a veces, cuando una o la otra se ausentaba durante más de diez minutos, se ocupaba de la recepción él mismo.

Eso estaba haciendo en ese momento, dado que Erika había salido a una tienda local para comprar la cena y llevarla de vuelta a la clínica. Alzó la vista del teclado para ver quién acababa de entrar.

—Has vuelto —dijo Christopher con sorpresa, al ver a Lily. En cuanto entró, su sexualidad natural e inconsciente inundó la atmósfera de la sala de espera. En un instante, se rindió a su hechizo—. ¿Le ocurre algo a Jonathan? —fue lo primero que se le pasó por la cabeza.

Entonces se fijó en que ella llevaba una caja de cartón, color rosa. Se preguntó si sería otro animal para que lo examinara. No había agujeros en el cartón para que entrara el aire; así que no podía ser un ratoncito blanco, o similar, que se hubiera encontrado en la calle.

—¿Me has traído otro paciente? —preguntó con cierta inquietud.

—¿Qué? —se dio cuenta de que él miraba la caja que tenía en la mano y comprendió, algo tarde, lo que debía de estar pensando—. Ah, no, esto no tienes que examinarlo —dijo—. Al menos no en el sentido que estás pensando.

Él no tenía ni idea de lo que podía significar eso. Pero empezaba a captar el aroma que salía de la caja. Sus papilas gustativas se pusieron en alerta.

—¿Qué es eso? —preguntó, saliendo de detrás del mostrador de recepción y acercándose. Le pareció detectar un punto de canela, entre otras cosas—. Huele divinamente.

—Gracias —Lily esbozó una amplia sonrisa.

—¿Eres tú? —la miró sorprendido y confuso. Se preguntó si era algún nuevo perfume, diseñado para despertar el apetito de un hombre, en su variedad no carnal. Su boca empezaba a salivar.

—Solo hasta cierto punto —contestó Lily, risueña. Al ver que Christopher parecía aún más confundido, se apenó de él y le ofreció la caja rectangular—. Son para ti, y para el resto de la plantilla —añadió, por si acaso suponía que intentaba flirtear con él; sin duda era algo que le ocurría a menudo.

Los hombres tan guapos como Christopher Whitman nunca pasaban desapercibidos. Gracias al espeso pelo rubio pajizo, la altura y esbeltez de su cuerpo y los magnéticos ojos azules que parecían escrutar el interior de su alma, el veterinario habría llamado la atención incluso entre una multitud.

—Es mi manera de dar las gracias —añadió.

—¿Las has comprado para nosotros? —preguntó Christopher, aceptando la caja.

—No. Las he hecho. Soy chef de repostería —explicó, para que no pensara que había elegido la primera receta que había visto en Internet. Sin saber por qué, quería hacerle saber que, a su manera, también era una buena profesional—. Trabajo para una empresa de catering —añadió, aunque tal vez fuera más información de la que el hombre quería oír—. Como no me dejaste pagar, quería hacer algo a cambio. Es repostería natural, no contiene aditivos artificiales, y tampoco gluten o nueces —añadió, por si era alérgico a alguno de esos ingredientes, como lo había sido su mejor amiga de infancia.

—Pues huelen de maravilla —abrió la caja y el aroma pareció envolverlo—. Si no supiera que estoy vivo, pensaría que he muerto y he subido al cielo.

—Según dicen, saben mejor que huelen —apuntó ella con timidez.

—A ver si es verdad —Christopher sacó una pasta y la mordió lentamente, como si temiera alterar su delicada composición. Sus ojos se agrandaron e iluminaron de placer—. El cielo queda confirmado —dijo, antes de dar un segundo bocado.

No tardó en seguirle un tercero.

Capítulo 4

A PESAR de que estaba disfrutando viendo al veterinario consumir las pastas que había creado, Lily se sentía incómoda. Antes o después, llegaría alguien con una mascota que necesitaba atención, o aparecería uno de los ayudantes del doctor, y el momento llegaría a su fin.

Lo mejor sería irse cuanto antes.

—Bueno, solo había venido a traer eso —señaló la caja rosa. Después, empezó a salir de la clínica.

La boca de Christopher estaba ocupada, deleitándose con el último trocito de la segunda pasta que había elegido. No quería apresurar el proceso, pero tampoco quería que Lily se marchara aún. Alzó la mano para indicarle que esperase.

—Espera —consiguió decir, justo antes de tragar el último bocado.

Lily se detuvo a un paso de la puerta. Esperó a

que el veterinario pudiera hablar, preguntándose por qué le había pedido que se quedara. Tal vez iba a decirle que había cambiado de opinión sobre la consulta gratuita. O había reconsiderado su oferta de verla en el parque canino el domingo.

Se preguntó por qué la desagradaba tanto la posibilidad de que fuera la última opción.

—¿De verdad las has hecho tú? —preguntó Christopher cuando recuperó el uso de la boca.

—Sí —respondió ella, mirándolo a los ojos. Intentó dilucidar por qué razón podía plantearse que hubiera mentido sobre algo así.

—Son fantásticas —afirmó él con entusiasmo. Haciendo gala de un control extraordinario, se obligó a cerrar la caja—. ¿Haces esto profesionalmente? ¿Como en un restaurante? ¿Trabajas para un restaurante? —corrigió, comprendiendo que su momento de éxtasis lo había despojado temporalmente de la capacidad de formular preguntas coherentes.

—Trabajo para una empresa de catering —dijo Lily—. Pero, en el futuro, me gustaría abrir mi propia pastelería —añadió. Se arrepintió de sus palabras de inmediato. El hombre solo pretendía darle conversación, no que iniciara un monólogo sobre sus planes de futuro.

Christopher asintió y sonrió con calidez mientras levantaba un poco la tapa de la caja. Había un poquito de crema en el borde. Lo recogió con la punta del dedo y se lo llevó a los labios.

Lily no pudo evitar pensar que parecía un hombre que acabase de alcanzar el nirvana. Un cálido cosquilleo recorrió su cuerpo y olvidó sus nervios y su incomodidad.

—La gente haría cola en la puerta —le aseguró Christopher—. ¿Cómo se llaman estas? —preguntó, señalando las pastas que quedaban en la caja.

Ella no había pensado en nombres, pero recordó lo que había dicho Theresa cuando las probó por primera vez.

—Trocitos de Cielo.

Christopher asintió con aprobación.

—Buen nombre —dijo, mirándola de frente.

Entonces fue cuando ella vio la manchita de crema en la comisura de sus labios.

Se planteó ignorarla, segura de que, si él seguía hablando, la crema desaparecería de un modo u otro. Pero no quería que tuviera que avergonzarse en el caso de que fuera uno de sus clientes quien señalase esa mácula en su aspecto.

—Perdón, doctor Whitman —empezó, sin saber cómo seguir. Siempre le costaba señalar los defectos o fallos en otra persona. Pero había sido ella quien había llevado las pastas: técnicamente, era la culpable de la manchita de crema.

—Tu repostería acaba de hacer el amor con mi boca, creo que puedes llamarme Chris —dijo Christopher, con la esperanza de derrumbar alguna de las barreras que la mujer parecía haber erigido a su alrededor.

—Chris —repitió Lily, para empezar de nuevo.

—¿Sí? —le había gustado cómo sonaba su nombre en boca de Lily. Sonrió.

—Tienes un poco de crema en el labio. Bueno, justo debajo de la comisura —corrigió. En vez de señalar el lugar en el rostro de él, lo hizo en el suyo—. No, en el otro lado —le indicó. Christopher encontró el lugar al segundo intento y ella asintió con alivio—. Ya está.

Christopher, divertido, iba a decirle algo, pero el timbre de la puerta se lo impidió. Anunciaba la llegada de un nuevo paciente: un gato himalayo que no parecía nada contento de estar en un trasportín y menos aún de estar en la cínica.

La dueña del gato, una morena de sonrisa cálida y aspecto maternal, suspiró con alivio al dejar el trasportín en el suelo, junto al mostrador.

—Cedrick no está nada contento hoy —dijo, aunque eso era obvio—. Tengo cita para la vacunación anual —dijo, antes de que Christopher tuviera tiempo de consultar su expediente.

Lily pensó que tocaba retirada. Ya llevaba demasiado tiempo allí. Aunque sus colegas estuvieran vigilando a Jonathan, tenía la sensación de que podían cansarse de hacerlo.

—Bueno, adiós —le dijo a Christopher, abriendo la puerta para salir.

—No te olvides de lo del domingo —gritó él.

Las mariposas que Lily sentía en el estómago duplicaron su tamaño al oírlo. Fue hacia su coche a toda prisa.

—Se diría que alguien te persigue —le dijo Theresa, cuando entró en la tienda de catering como una exhalación—. ¿Va todo bien?

—Bien. Todo va bien —contestó Lily rápidamente.

Theresa optó por no hacer ningún comentario al respecto.

—¿Qué le han parecido tus pastas? —al ver que Lily la miraba desconcertada, como un cervatillo deslumbrado por los faros de un coche, Theresa le dio otra pista—. El veterinario, ¿le han gustado las pastas que hiciste para él?

—Ah, eso. Le gustaron —contestó Lily—. Perdona, estoy algo distraída —se disculpó—. Pensaba en los postres para el evento de mañana —explicó.

Quería que todo estuviera siempre perfecto, era su forma de agradecerle a Theresa el interés que se tomaba por ella; por eso revisaba una y otra vez lo que había planificado crear para cada encargo.

Theresa movió una mano, quitando importancia a la disculpa de Lily. La interesaba mucho más el otro tema.

—Bueno, ¿qué ha dicho? —inquirió—. Chica, la verdad, a veces sacarte información es tan difícil como sacar una muela —la llevó hacia un rincón—. Dime qué ha dicho.

Lily sonrió al recordar las palabras exactas.

—Que había pensado que había muerto y subido al cielo.

—Por lo menos tiene buen gusto —Theresa asintió con aprobación. Maizie había encontrado un buen candidato, sin duda—. Es una profecía —dijo, apretando suavemente la mano de Lily—. Serviremos Trocitos de Cielo en la celebración de mañana —como Lily no parecía dispuesta a decir nada más sobre Christopher, cambió de tema—. Por cierto, si te estás preguntando dónde está Jonathan, Meghan lo ha llevado a dar un paseo. Hasta que aprenda a controlarse, uno de nosotros tendrá que sacarlo cada hora y animarlo a que haga algo —explicó Theresa.

Lily, que no sabía nada de animales, la miró con incertidumbre.

—¿A que haga algo? ¿El qué? ¿Te refieres a encontrar a su dueño?

—No —Theresa controló una carcajada—. Me refiero a que haga sus necesidades. Si no haces nada al respecto, ese perrito creerá que el mundo entero es su cuarto de baño.

—Oh, Dios —Lily la miró horrorizada—. No había pensado en eso.

—No te tortures, Lily. Nunca has tenido una mascota —Theresa puso un brazo sobre los hombros de su protegida—. Yo crecí rodeada de perros, así que tengo experiencia —añadió, para paliar la incomodidad de la joven.

Lily pensó que, si ese era el caso, cabía la posibilidad de convencer a su jefa para que se quedara con el perrito si nadie lo reclamaba. Decidió intentarlo de nuevo.

—¿Estás segura de que no quieres…?

Theresa, adivinando el rumbo que iba a tomar la conversación, la cortó de inmediato.

—De ninguna manera. Mi siamesa echaría un vistazo a Jonathan y le sacaría los ojos, después haría huelga de hambre durante una semana solo para hacerme sufrir. Mientras esa princesita viva conmigo, ninguna otra criatura de cuatro patas podrá cruzar la puerta de entrada —le ofreció una sonrisa compasiva—. Me temo que, hasta que encuentres a su dueño, Jonathan y tú tendréis que compartir casa.

Lily asintió, resignada por el momento.

—Entonces, será mejor que empiece a buscar a su dueño —le dijo a Theresa.

Lily entró al cubículo de paredes de cristal donde ideaba sus recetas. Era diminuto, con el sitio justo para un escritorio y una silla. No podía quejarse, contaba con un ordenador portátil y una impresora pequeña, no necesitaba más.

En cuanto se sentó, puso manos a la obra. Había decidido que una foto sería mejor que un dibujo, y le había sacado una a Jonathan con el móvil. Conectó el teléfono al ordenador y descargó la foto, adorable en su opinión.

—¿Cómo podría alguien no haberte echado de menos? —le murmuró a la foto—. Bueno, basta de eso, a trabajar —se ordenó.

Recortó la fotografía para centrar la imagen en la cabeza del perro, escribió un texto breve, indicando dónde y cuándo lo había encontrado, y añadió su número de teléfono.

Tras revisar el documento en pantalla, Lily imprimió una hoja de prueba. Aparte de necesitar un pequeño ajuste de color, el resultado le pareció bien. Hizo los cambios necesarios, guardó el documento e imprimió una prueba de esa segunda versión.

Satisfecha con el mensaje y con la foto de Jonathan, imprimió veinticinco copias. Pensaba pegar carteles en los árboles y postes de la zona residencial en la que vivía.

Con suerte, eso bastaría. Si no obtenía ninguna respuesta, tendría que ampliar el círculo a la urbanización contigua, pero tenía la esperanza de que no fuera necesario.

Si Jonathan hubiera sido su perrito, a esas alturas lo estaría buscando con frenesí. A su modo de ver, era lógico que su auténtico dueño sintiera lo mismo.

* * *

En cuanto salió del trabajo, con Jonathan a su vera, Lily puso su plan en acción. Ya en el coche, bajó la ventanilla una rendija, suficiente para que entrara aire sin permitir a Jonathan escapar, y recorrió la urbanización de punta a punta. Bajaba del coche, dejando al perro en el asiento trasero, y pegaba los carteles en dos o tres árboles.

Tardó más de una hora en cubrir toda la zona. Jonathan ladraba más y más fuerte cada vez que bajaba del coche; Lily comprendió que no le gustaba nada ese juego que parecía excluirlo.

—Me lo agradecerás cuando aparezca tu dueño —le dijo al perro, sentándose al volante tras colgar el último cartel.

Cansada, aparcó ante la casa. Jonathan empezó a ladrar, como si anticipara que iba a abandonarlo en el coche una vez más.

—Ya voy —le aseguró Lily.

Fue a abrir la puerta trasera e hizo lo posible por agarrar la correa, pero Jonathan fue demasiado rápido para ella. Escabulléndose, saltó entre sus piernas y corrió en busca de la libertad.

Lily se rindió con un suspiro. No iba a perseguir al animal. Teniendo en cuenta su suerte, acabaría de bruces en el suelo. En vez de eso, abrió el maletero.

Theresa había insistido en que se llevara comida casera, si podía considerarse así la de una empresa de catering, para que cenara algo decente.

—Sé que te lías a hacer cosas y te olvidas de comer, sobre todo si tienes que preparar algo. Esta vez, no tendrás excusa —había dicho Theresa, dándole una gran bolsa de papel, caliente al tacto.

Lily sacó la bolsa del maletero y comprobó que seguía estando templada. Con la cena en la mano, fue hacia la puerta de entrada. Cuando llegó, estuvo a punto de dejar caer la cena al suelo.

Jonathan estaba sentado en el escalón delantero. El perrito daba toda la impresión de estar esperándola.

—¿Qué haces aquí? —preguntó, atónita—. Pensaba que ya estarías muy lejos.

Jonathan la miró con expresión desconsolada. Tenía la lengua afuera y babeaba sobre el peldaño. En cuento ella metió la llave en la cerradura, se levantó de un salto y empezó a golpear el suelo con el rabo.

—Supongo que vas a querer entrar —dijo ella.

Como si la entendiera, o tal vez para molestarla, Jonathan respondió ladrando con más fuerza que nunca. Ella se estremeció ante tal estruendo.

—Primera norma de la casa —dijo, empujando la puerta con el hombro. Jonathan entró como una exhalación y Lily estuvo a punto de tropezar con él más de una vez. El perrito parecía estar en todas partes al mismo tiempo—. Usa tu voz interior —ordenó con voz firme.

Él optó por ignorarla y ladró con tanta fuerza como antes. Lily suspiró, cerró la puerta y fue hacia la cocina.

—Puede que no tengas voz interior. Estoy empezando a pensar que no te escapaste, te echaron de casa. Alguien que no quería pasar el resto de su vida tomando analgésicos para el dolor de cabeza.

Jonathan corrió a su alrededor y, de repente, inexplicablemente, decidió convertirse en su sombra. Empezó a seguirla en todo momento, casi pisándole los talones.

—Supongo que solo es cuestión de tiempo, harás que me caiga antes o después, ¿verdad? —predijo, dejando sobre la encimera la bolsa que había preparado Theresa y otra que le había dado Alfredo. El chef había enviado a su ayudante a la pajarería a comprar latas de comida para Jonathan.

Aunque ella no hubiera adoptado al perro aún, parecía que todos los demás sí, pensó Lily mientras sacaba las latas. Había diez en total, todas distintas.

—Vaya, los perros comen mejor que la mayoría de la gente, ¿eh? —se asombró. Jonathan corría de un lado a otro, adivinando que iban a darle de comer—. ¿Hueles la comida a través de la lata? —preguntó ella, incrédula. Jonathan siguió corriendo, entusiasmado.

Ella dedicó un momento a elegir una lata para su huésped, pero como era incapaz de decidirse, cerró los ojos y agarró una al azar. Se dijo que lo mismo daba una que otra. Tenía la sensación de que, si le ofrecía una caja de cartón, el perrito la devoraría sin pensarlo.

Tiró de la anilla, agradeciendo no tener que buscar un abrelatas, y vació el contenido en un cuenco. Lo puso en el suelo y dio un par de pasos hacia atrás. Tardó unos tres segundos.

Jonathan terminó de comer en seis.

—¿Es que ni siquiera masticas? —inquirió Lily mirando el cuenco vacío. El perrito la siguió cuando recogió el cuenco para llevarlo al fregadero. Igual que antes, parecía observar atentamente cada uno de sus movimientos—. Si crees que voy a darte más comida, te equivocas, listillo. Hasta mañana por la mañana tendrás que conformarte con agua.

Fregó el cuenco, lo llenó de agua fría y volvió a ponerlo en el suelo, en el mismo sitio. Solucionado el tema del perro, decidió ocuparse de sí misma.

Abrió el envase que contenía su cena y comprobó que Theresa le había preparado su plato favorito: estofado de buey. El aroma le despertó el apetito, recordándole que apenas había comido en todo el día.

—Bendita seas, Theresa —murmuró.

Se sirvió un plato y se sentó a la mesa. Jonathan se colocó a sus pies y siguió con la mirada cada tenedor de comida que se llevaba a la boca, como si estuviera hipnotizado.

Lily hizo cuanto pudo para ignorar al animal y los cálidos ojos marrones que la observaban con tanta atención. Resistió cuanto pudo, casi siete minutos, antes de capitular con un suspiro.

—Toma, acábatelo —dijo, dejando el plato en el suelo.

Apenas tuvo tiempo de apartar la mano. De hecho, su pulgar corrió un grave riesgo. Los afilados dientecillos de Jonathan rasgaron su piel cuando se abalanzó sobre el resto del estofado.

—¿Sabes una cosa? Si queremos llevarnos bien mientras estés aquí, vamos a tener que establecer ciertos límites. Limites que tendrás que respetar si no quieres acabar en la calle, amigo. ¿Te ha quedado claro? —le preguntó al perrito.

Se levantó de la mesa, llevó el plato al fregadero y fue hacia la sala. Su sombra la siguió con la lengua afuera y babeando.

Lily se dio la vuelta y vio el rastro húmedo que había dejado en su camino de la cocina a la sala. Con un suspiro, sacó la fregona del escobero y limpió las manchas de babas. Cuando acabó, dejó la fregona apoyada contra la pared de la cocina, segura de que volvería a necesitarla muy pronto.

—Eh, Jonathan, ¿te apetece jugar a las cartas? —le preguntó, sin saber qué hacer con él.

El perrito alzó la cabeza y empezó a ladrar. El sonido resonó en la cabeza de Lily.

—Ya suponía que no. Tal vez te enseñe algún día —al darse cuenta de lo que había dicho, rectificó—: No sé ni lo que digo. No vas a estar aquí «algún día». Para cuando ese día llegue, mi peludo amigo, te habrás ido y estarás comiéndote la casa de otra persona. ¿Tengo o no tengo razón?

A modo de respuesta, Jonathan empezó a lamerle los dedos de los pies.

Ella se dejó caer en el sofá y le acarició la cabeza.

—No juegas limpio, Jonathan.

El perrito ladró, como si quisiera decirle que ya lo sabía.

Lily tuvo la sensación de que iba a ser una noche muy larga.

Capítulo 5

CHRISTOPHER consultó su reloj y frunció el ceño. Habían pasado cinco minutos, en realidad cuatro y medio, desde la última vez.

Estaba en el parque canino, y llevaba allí de pie cincuenta minutos. Ocupaba un lugar que le permitía ver con toda claridad la entrada al parque. Nadie podía llegar, ni irse, sin que él lo viera. Hacía uno de esos días «dignos del paraíso», la típica descripción que solía hacerse del clima de Bedford, la ciudad californiana en la que había crecido. Pero él no estaba pensando en el tiempo.

El ceño había ido surgiendo, lentamente, porque hacía ya casi una hora que esperaba a Lily y a su perrito.

No le había dado la impresión de ser una persona que faltaría a una cita sin llamar antes, pero se recordó que no era muy bueno a la hora de juzgar a la gente. Se había equivocado de medio a medio respecto a Irene.

Rio brevemente al recordarlo. Aunque no le gustaba el juego, habría apostado dinero a que Irene y él iban a estar juntos para siempre.

«Idiota», se recriminó.

Se habían conocido la primera semana de universidad. Mientras se ayudaban el uno al otro a aclimatarse a vivir lejos de casa, descubrieron que tenían los mismos intereses y objetivos, o eso había pensado él. Cuando él decidió especializarse en Veterinaria en la Universidad Cornell, ella siguió en Nueva York para licenciarse en Inversión Bancaria, la carrera que predominaba en su familia. Irene tenía los ojos puestos en Wall Street.

Eso dio lugar al primer conflicto grave entre ellos. Irene quería establecerse en Nueva York, mientras que él siempre había tenido la intención de volver a «casa» y montar allí su clínica.

Cuando descubrió que su madre tenía una enfermedad mortal, lo consideró una señal de que era imprescindible que volviera a Bedford. Fue entonces cuando descubrió que no conocía a Irene tan bien como había creído. Ella, como muestra de comprensión, le había dicho que estaba dispuesta a tomarse unos días libres en la empresa de su padre, donde ya trabajaba, y acompañarlo a Bedford para que visitara a su madre por última vez.

La tensión entre ellos se acrecentó y él acabó yendo a ver a su madre solo. Irene necesitaba mucha atención, y aunque eso no solía molestarlo a menudo, sabía que interferiría con el tiempo que quería dedicarle a su madre.

Ese tiempo resultó ser mucho menos del que había esperado. Un mes y un día después de su llegada a Bedford, su madre falleció. Le destrozó el corazón que no le hubiera confesado su enfermedad antes, pero agradeció haber podido pasar esas últimas semanas con ella.

Cuando regresó a Nueva York, la relación con Irene empezó a ir de mal a peor. Lo vio con toda claridad la noche que Irene le dijo que quería que se planteara dedicarse a algo más «prestigioso» que cuidar de animales enfermos.

En su opinión, al igual que en la de su padre y sus tíos, un veterinario no encajaba bien con la imagen de éxito profesional que pretendía alcanzar para sí misma. Irene lo había dejado atónito al entregarle una lista de «carreras alternativas» para que la estudiara.

—Tenía la esperanza de que llegarías a esta conclusión por ti mismo, pero, si tengo que empujarte un poco, lo haré. Al fin y al cabo, ¿para qué sirve una futura esposa si no es para dirigir a su hombre hacia el camino correcto para él?

Lo había dicho completamente en serio.

Entonces supo que el «para siempre» que había imaginado, no tenía cabida entre ellos dos. Rompió el compromiso con cortesía y sinceridad. Le dijo a Irene que, por mucho que deseara estar con ella, nunca había imaginado que vivirían su vida relacionándose con gente más interesada en el beneficio personal que en hacer el bien.

Encolerizada, Irene le había tirado el anillo de compromiso a la cara. Él, sin recogerlo del suelo, había contestado que no lo quería y que podía quedárselo. Dos días después, cuando el anillo de diamantes apareció en su buzón, Christopher decidió que siempre podría empeñarlo si necesitaba dinero para comprar equipo para su clínica.

Al día siguiente, abandonó Nueva York.

En un periodo muy breve, había perdido a su madre y a la mujer a la que había creído amar.

Le había costado un tiempo retomar el ritmo de su vida. Tiempo para dejar de verse como parte de una pareja y volver a enfrentarse al mundo como soltero. Cuando pasaba por un momento emocional especialmente duro, se recordaba que su madre había estado sola casi toda la vida.

Su padre, un policía que estaba disfrutando de su día libre, compraba leche en el supermercado local cuando entró un hombre agitando una pistola en el aire y exigiendo que le entregaran el dinero de la caja. Según el relato del dependiente, su padre había intentado razonar con el ladrón. Este, nervioso y, como se comprobó después, drogado, le disparó en el pecho tres veces y luego se escapó. La policía lo capturó a menos de una manzana de la tienda. Pero llegaron demasiado tarde para salvar a su padre.

Su madre había quedado devastada, pero como él tenía solo dos años y no contaban con familia que los apoyara, se esforzó por levantar cabeza y darle la mejor vida posible.

Cuando estaba a punto de marcharse a estudiar a Cornell, Christopher se había sentido culpable por dejarla sola. Recordó haberle preguntado por qué no había salido con ningún hombre mientras él crecía. Le había contestado que ya había tenido un gran amor en su vida y que le habría parecido avaricioso intentar que volviera a ocurrir.

—Tu padre era un hombre único y fui muy afortunada por tenerlo en mi vida, aunque fuera por poco tiempo —había dicho—. No quiero estropear eso buscando a alguien que ocupe sus zapatos cuando sé que es imposible.

Christopher sonrió con el recuerdo. Sabía que su madre también le habría dicho que el que Irene no hubiera resultado ser la mujer de sus sueños no implicaba que no hubiera otra destinada a serlo, esperando a que él la encontrara.

Emitió un suspiro; tal vez no la hubiera.

No estaba buscando una relación. Aún era demasiado pronto para plantearse algo así. Sin embargo, le apetecía mucho pasar tiempo con Lily.

Christopher miró su reloj de nuevo. Habían pasado cinco minutos más. Encogió los hombros, resignado; no tenía sentido esperar más. Lily y su hiperactivo cachorro no iban a aparecer, y ella no había tenido la consideración de telefonear para avisarlo.

Cabía la posibilidad de que el dueño del perro hubiera aparecido a reclamarlo, pero, incluso así, Lily tendría que haber llamado para cancelar la cita.

A no ser que hubiera perdido su tarjeta.

«Puedes pasarte todo el día aquí imaginando una docena de excusas, pero el hecho es que ella no ha venido y tú sí. Es hora de volver a casa, amigo», se dijo.

Se apartó de la farola en la que había estado apoyado y puso rumbo hacia su coche, un Toyota gris claro de cuatro puertas.

Fue entonces cuando lo oyó.

Un silbido agudo que pareció rasgar el aire, literalmente. Un sonido irritante que obvió, hasta que sonó de nuevo. Intrigado, miró a su alrededor para ver de dónde provenía.

Un segundo después, un perrito corría a su alrededor como un maniaco.

Ese perrito.

Una correa volaba en el aire tras él, como una serpentina. Por el momento, era un perro libre.

Riéndose, Christopher se agachó a su altura y le rascó la cabeza. El animal respondió como si, por un azar del destino, se hubiera reencontrado con un gran amigo al que hubiera perdido la pista años antes.

—Hola, chico. ¿Dónde está tu dueña? ¿Te has escapado?

Christopher miró por encima del hombro y la vio. Con la melena castaña ondeando en el aire, corría hacia él. Llevaba una camiseta verde que se ajustaba a su torso y pantalones cortos, de tela vaquera deshilachada por el bajo, que acentuaban el largo de sus piernas.

Lily corría a toda velocidad para alcanzar al perro que, obviamente, se le había escapado.

Al ver que Jonathan había encontrado al hombre con el que iban a reunirse, bajó el ritmo un poco para recuperar el aliento y poder hablar sin jadeos.

—Hola —saludó Christopher con voz cálida; la hora que llevaba esperando se convirtió en un recuerdo lejano—. Empezaba a pensar que no ibas a venir.

—Lo siento —se disculpó ella—. Suelo ser muy puntual.

Como Christopher seguía agachado junto al perro, se dejó caer al suelo. Era más fácil hablar estando a su altura.

—Jonathan decidió que prefería hacer gala de su

carácter a cooperar conmigo —no pretendía que el veterinario la compadeciera, solo quería hacerle saber qué le había impedido llegar a tiempo—. Me costó muchísimo meterlo en el coche. Se convirtió en un manojo de patas moviéndose en todas direcciones. Después, cuando por fin llegué al parque y abrí la puerta trasera, salió corriendo sin darme tiempo a agarrar la correa. Lo intenté, pero fue demasiado rápido para mí —movió la cabeza—. Está claro que tiene mente propia.

Resultaba difícil creer que la testarudez que estaba describiendo se refiriera al mismo perro que parecía haberse convertido en pura dulzura. De hecho, el labrador acababa de tumbarse boca arriba como si su mayor deseo fuera que le acariciaran la tripita. Christopher no dudó en hacerlo, y eso pareció transportar a Jonathan al paraíso.

—¿Era tu silbido el que he oído hace un momento? —preguntó Christopher, con tono incrédulo pero cortés. Lily asintió.

—Sé que es un silbido atronador —lo cierto era que no sabía silbar de otra manera—. Pero estaba desesperada para que dejara de correr, aunque no estuviera dispuesto a volver a mi lado.

A Christopher le pareció muy gracioso que alguien tan diminuto y grácil como Lily fuera capaz de silbar como un rudo marinero recién desembarcado tras pasar meses en altamar. Decidió no hacer comentarios al respecto, porque temía avergonzar a Lily y acrecentar su timidez. Eso era lo último que deseaba. Además, le impediría ayudarla a entrenar al perrito que el destino, sin duda, había decido poner en su camino.

Así que centró su atención y sus palabras en la peluda criatura que había apoyado la cabeza en su regazo, suplicando su atención y sus caricias.

Parecía ser uno de esos perros que se desvivían por recibir un refuerzo positivo. Eso, sin duda, facilitaría mucho las cosas a Lily.

—¿Has estado haciéndole la vida imposible a tu ama, amiguito? —rio Christopher, sin dejar de acariciar al cachorro—. Pues eso se va a acabar ahora mismo, ¿está claro? —añadió con voz teñida de severidad.

Jonathan lo miró con sus ojos marrones cargados de adoración y procedió a lamer la mano que acababa de acariciarlo.

Christopher la apartó con firmeza.

—Eso se acabó por ahora. No vas a engañarme. Estamos aquí para trabajar —dijo, poniéndose en pie. Con la correa en una mano, ofreció la otra a Lily—. Vamos, es hora de empezar vuestra sesión de adiestramiento.

Lily aceptó la mano. Durante un instante, tuvo la sensación de sentirse envuelta y protegida. Se levantó y notó que la fuerte mano de Christopher tardaba unos segundos más de lo necesario en soltar la suya. Un leve rubor tiñó sus mejillas.

—Lo has dicho como si también fueras a adiestrarme a mí —soltó una risita nerviosa, que se apagó en su garganta al ver la sonrisa de Christopher.

—Es precisamente lo que voy a hacer.

Lily, atónita por la respuesta, se quedó muda.

—Me alegra decirte que ya sé ir al baño sola —dijo, cuando su cerebro volvió a funcionar.

Contempló, hipnotizada, cómo los labios de él se

curvaban lentamente. Se perdió en su sonrisa, aceptando la futilidad de intentar resistirse.

—Me alegra saberlo —dijo Christopher—, pero no era eso lo que tenía en mente para ti.

—¿No? —lo miró con inquietud, alegrándose de estar en un lugar público y lleno de gente.

Sin saber por qué, la idea de estar a solas con él hacía que sintiera un extraño cosquilleo en todo el cuerpo. Decidió que lo mejor sería ocultar el efecto que ejercía sobre ella.

—¿Y qué tenías en mente para mí? —se atrevió a preguntar.

Era una pregunta peligrosa, y si hubieran sido amigos un tiempo, o se conocieran mejor, la respuesta habría sido obvia.

—Pretendo enseñarte cómo enseñar a Jonny —dijo él—. Hay buenas y malas maneras de hacer casi cualquier cosa. Con un perro, si lo haces mal, no conseguirás el resultado que pretendes y podrías tener problemas. Recuerda, el refuerzo positivo es muy importante. Da igual que sea una golosina, pequeña —advirtió—, o acabarías teniendo un perro obeso, o un halago, siempre que sea positivo. Recuerda, el cariño da mejores resultados que el miedo —dijo, empezando a caminar.

—¿Miedo? —repitió ella. La palabra le hizo conjurar su propia reacción a Jonathan y sus afilados dientecillos.

—He visto a mucha gente gritar a su mascota y golpearla con un periódico enrollado o cualquier otra cosa que estuviera a mano. La mascota nunca mejoró su actitud. La obediencia no debe basarse en el miedo sino en el amor. Eso es fundamental —dijo—.

Pero admito que no pareces una de esas personas capaz de dar una paliza a un perro.

Lily se estremeció al pensar que podía haber gente capaz de pegar a su mascota. No tenía sentido tener una si se carecía de paciencia para lidiar con ella. Cualquier relación, ya fuera con seres humanos o con animales, requería una gran dosis de paciencia, a no ser que se desarrollara en la gran pantalla, a guisa de telecomedia.

—Además —siguió él, mientras caminaban hacia el centro del parque—, en cuanto a las necesidades básicas, habrá accidentes ocasionales. No recomiendo que restriegues la nariz de Jonathan en esos accidentes a la vez que gritas: «¡No, no!» —explicó Christopher—. En el mejor de los casos, eso solo lo enseñará a hacerlo en un sitio menos obvio, para evitar la reprimenda.

—¿Y en el peor de los casos? —preguntó ella, intrigada. Desde su punto de vista, acababa de describir lo peor que podía imaginar.

—Puede que descubra que le gusta el sabor —Christopher soltó una risita—. Sé de más de un perro que aboga por el reciclaje de sus propios excrementos —dejó de andar y examinó el rostro de Lily—. Estás un poco pálida. ¿Te encuentras bien?

Ella se llevó la mano al estómago, revuelto por lo que acababa de oír. Dejar entrar al perrito en su vida la había abierto a muchas más cosas de las que había imaginado.

—Es que no sabía todo lo que podía implicar acoger temporalmente a un perro. Hasta ahora solo los había visto en el cine —confesó. Sin duda había sido una forma muy aséptica de obtener información—.

No olían, no iban al cuarto de baño y su inteligencia era casi equiparable a la de Einstein —hizo una mueca, avergonzada de su ignorancia—. De esos que cuando su dueño decía «Necesito un destornillador» esperaban a que especificara si lo quería de punta plana o de estrella.

Christopher sonrió. Le gustaba que fuera capaz de reírse de sí misma. El que Lily tuviera sentido del humor le parecía muy buena señal.

—En el mundo real, los perros huelen si no los bañas, y no hacen divisiones de cabeza —a continuación, pasó a enumerar algunas de las razones positivas para tener un perro—. Pero sí responden al sonido de tu voz, son adiestrables y puede llegarse a un entendimiento con ellos, con tiempo, educación y mucha paciencia. No olvides nunca que, si algo merece la pena, merece la pena hacerlo bien. Si aceptas a un perro en tu vida y te acuerdas de demostrarle que, por mucho que lo quieras, eres tú quien está al mando, nunca te arrepentirás de tu decisión.

Christopher hizo una pausa. Se había descubierto mirando sus ojos y pensando que sería muy fácil perderse en ellos si no tenía cuidado.

Tomó aire y se dijo que tenía que poner manos a la obra antes de que ella empezara a hacerse una idea equivocada de él y de por qué estaba allí.

—Bueno, ¿estás lista?

—Sí —afirmó Lily, deseando empezar.

—De acuerdo —se agachó para quitarle al perro la correa y la sustituyó con un cordel al menos tres veces más largo. Volvió a ponerse en pie—. Lo primero que tenemos que enseñarle a Jonny es a venir cuando lo llames.

Ella observó cómo retrocedía paso a paso, alejándose de Jonathan.

—¿Y lo de ir al baño? —preguntó, titubeante.

Había pensado que eso era lo primero que había que enseñar a un perro. Ya había tenido que limpiar varios desastres y no se veía haciéndolo indefinidamente. Lo cierto era que había tenido la esperanza de que el veterinario tuviera alguna solución mágica que ofrecer a ese respecto.

La expresión compasiva del atractivo rostro le dejó claro que no era el caso.

—Me temo que tardará algo más en aprender eso. Puedo enseñarte las cosas básicas y qué decir, pero, sobre todo, requerirá dedicación y paciencia de tu parte. Mucha dedicación y paciencia —recalcó—. Porque tendrás que sacar a Jonny una vez por hora hasta que haga algo, y estar pendiente de cualquier señal de que está a punto de hacerlo.

—¿Y cómo sabré cuáles son esas señales? —se encontraba en territorio desconocido para ella.

—Muy buena pregunta —contestó él con una sonrisa que habría derretido a Lily si ella no hubiera estado en guardia. Se inclinó hacia ella como si fuera a confiarle un secreto—. Eso será parte de tu adiestramiento.

Echó la cabeza hacia atrás y le guiñó un ojo. Lily sintió un cosquilleo en el estómago.

—Bueno, volvamos al asunto de enseñarle a venir cuando lo llames —agarró con firmeza el largo cordel y le explicó los puntos básicos con lentitud y claridad. Después, procedió a demostrar lo que acababa de decir.

Capítulo 6

AHORA, prueba tú —dijo Christopher, tras conseguir que Jonathan volviera cuando lo llamaba. Le ofreció el extremo del cordel.

—¿Yo? —Lily miró el cordel con inquietud.

Si había algo que odiaba de verdad, era parecer inepta delante de la gente, aunque fuera alguien tan agradable como ese hombre. Tenía el efecto de incrementar su sentimiento de inseguridad y acentuar la timidez contra la que luchaba día a día.

Christopher sabía, por instinto, cuándo una situación requería una dosis extra de paciencia. Solía ocurrirle con los animales a los que trataba, pero de vez en cuando lo percibía también con alguna persona. Podía ver que la reticencia de Lily no tenía nada que ver con la testarudez o el desinterés. A juzgar por la tensión de su cuerpo, le faltaba confianza en sí misma.

Eso tenía que cambiar. Si él podía percibirla, sin duda el perro también. Aunque su corazón se ablandaba ante cualquier can, sabía que era esencial dejar claro quién estaba al mando. De no hacerlo, ese adorable manojo de patas y pelo negro haría lo que quisiera con la mujer que tenía al lado, destrozaría su casa y, posiblemente, convertiría su vida en un infierno.

—Pues, sí —dijo Christopher—. A no ser que pretendas llevarme a casa contigo para que me encargue de educar a Jonny, tendrás que aprender a hacer que te obedezca. Obediencia es la palabra clave —siguió ofreciéndole el cordel.

Lily apretó los labios. Lo único que odiaba más que quedar como una tonta, era quedar como una cobarde. Inspiró profundamente, se enredó el cordel en los dedos y miró al perrito con fijeza.

—¡Ven! —dijo, con tanta autoridad como pudo. Al ver que Jonathan seguía donde estaba, repitió la orden con más énfasis—. ¡Ven! —Jonathan ladeó la cabeza y la miró, pero no movió ni una pata.

—Acuérdate de iniciar cada orden con su nombre y dar un tironcito al cordel, como he hecho yo —le dijo Christopher al oído, apenándose de ella—. Aprenderá, antes o después.

Lily tuvo que hacer un esfuerzo para no estremecerse al sentir el aliento de Christopher en el cuello y la mejilla. Se ruborizó. Tenía que usar el nombre del perro. No sabía cómo podía haber olvidado algo tan simple tan rápidamente.

—Bien. ¡Jonathan, ven! —ordenó, tirando suavemente del cordel.

El impacto del tirón en el cordel, a pesar de lo largo que era, llegó hasta el perro. Entonces, para su alivio y sorpresa, Jonathan trotó hacia ella y se detuvo a sus pies.

—Lo ha hecho —gritó, asombrada y encantada al mismo tiempo—. ¡Ha venido!

Christopher no habría sabido decir qué lo animaba más, ver al animal responder a la orden de Lily, o ver el júbilo de Lily porque el animal había respondido a la orden.

—Sí, así es —corroboró Christopher con una sonrisa complaciente—. Ahora dale ese trocito de salchicha como premio y estira el cordel para hacerlo de nuevo.

Jonathan, pura imagen del éxtasis, se tragó su «premio» sin masticarlo siquiera.

Christopher pensó que habría sido difícil decir quién tenía más ganas de repetir el ejercicio, si Jonathan o su ama.

El segundo intento funcionó mucho mejor.

—Otra vez —le dijo Christopher a Lily, después de que le diera su premio al perrito.

Lily y Jonathan repitieron el ejercicio cinco veces antes de que Christopher diera vía libre para pasar a la siguiente orden.

—Esto es justo lo contrario de lo que acabas de enseñarle —le dijo Christopher. Notó que Lily, en vez de reticente como al principio, parecía ansiosa por iniciar la segunda lección—. Vas a enseñarlo a quedarse donde está, quieto. Aunque pueda parecer fácil, para un cachorro de seis o siete semanas de edad no es natural quedarse quieto, a no ser que esté dormido —advirtió—. Ahora, en vez de tirar del cordel, necesitas hacer un gesto con la mano, como si fueras un policía parando el tráfico, usar un tono de voz sereno y tener paciencia. Mucha paciencia.

—De acuerdo —ella asintió con la cabeza.

Él no pudo evitar pensar que, en cierto modo, le recordaba al perrito, puro interés y entusiasmo. Su opinión sobre ella subió un par de puntos.

—Dile que se quede quieto y retrocede lentamente —instruyó Christopher, situándose tras ella dispuesto a imitar cada uno de sus pasos—. Hasta que obedezca la primera vez y se quede en el sitio el tiempo asignado, no dejes de mirarlo. Haz que te obedezca. Tu objetivo es conseguir que Jonny responda al sonido de tu voz sin que tengas que premiarlo o mirarlo fijamente. Y eso —afirmó—, requerirá repetir el ejercicio una y otra vez, hasta que asocie lo que hace con las palabras clave que emitas.

—Nunca se me ha dado bien ser autoritaria —admitió Lily. Pero, aun así, seguía entusiasmada.

—Entonces, tendrás que ocultar ese pequeño secreto. Por lo que respecta a Jonny, tú eres jefe y soberano de su mundo, o soberana, si lo prefieres.

No parecía una mujer capaz de ofenderse por un término masculino usado sin mala intención, pero, en esa primera fase de empezar a conocerse, Christopher no quería dar nada por hecho.

Lily le sonrió. Había algo en su forma de mirarlo que hacía que sintiera un vínculo con ella. Era como si, sin saber por qué, estuvieran sincronizados.

—Lo mismo me da una palabra que la otra —dijo. Lo cierto era que nunca había pensado en sí misma como soberana o soberano de nada. Al menos hasta ese momento.

—Bueno —Christopher señaló al objeto de la conversación—. A ver si haces que se quede quieto.

—¿No vas a hacerlo tú antes?

—¿Te refieres a un precalentamiento? —preguntó él, divertido—. Es tu perro —dijo, con el fin de reforzar su confianza en sí misma—. Tú debes ser la principal figura de autoridad a la que escuche.

—Pero no es mi perro —protestó ella—. He colgado carteles por toda la urbanización. Aún es posible que su dueño venga a buscarlo —no lo dijo, pero ya no estaba tan ansiosa porque eso ocurriera.

Él escrutó a Lily un momento, adivinando lo que empezaba a sentir.

—Entonces, explícame otra vez por qué estás haciendo tanto esfuerzo por un animal que quizás no vayas a quedarte.

En el interior de Lily se libraba una batalla entre la lógica y el sentimiento. No estaba segura de hacia qué lado se inclinaba la balanza. Por el momento, decidió mantenerse en su papel.

—Solo intento adiestrar a Jonathan para poder sobrevivir con él hasta que aparezca su dueño —intentó sonar fría y desinteresada—. No quiero encariñarme de él y luego tener que entregarlo.

—Siento decírtelo, Lily, pero, en mi opinión, ya estás encariñada con él, y me da la impresión de que él lo está contigo —soltó una risita antes de puntualizar—, al menos en la medida en que un perrito hiperactivo puede encariñarse de una persona. No me malentiendas —añadió—. Los perros son seres muy leales, pero los cachorros tienden a vender su alma por unas caricias y se marchan con cualquiera, a no ser que les den una buena razón para quedarse donde están.

Christopher la miró a los ojos. Captó de inmediato que Lily se debatía entre querer mantener la distancia emocional con el perro y lanzar la cautela al viento y disfrutar del amor incondicional que el animalito ofrecía.

—¿Te importa que diga algo más? —Christopher hizo una pausa, esperando su consentimiento.

—No, claro que no.

—Personalmente, no creo que nadie vaya a venir a buscar a Jonny. A mi modo de ver, su madre tuvo una camada hace poco y este se escapó a explorar mundo cuando nadie lo miraba. Seguramente el dueño de su madre estaba ocupado buscando buenos hogares para él y sus hermanos. Que Jonny se escapara debió de parecerle una bendición; un perrito menos que colocar.

Sus labios se curvaron con una sonrisa y miró al labrador, que estaba estirado en la hierba, tomando el sol.

—O puede que ni siquiera notara la falta de Jonny, sobre todo si la perra tuvo una camada muy grande. Estos perritos se mueven tan rápido que cuesta hacer un recuento de cabezas fiable.

Ella no habría podido explicar la sensación de felicidad que creció en su interior, sobre todo teniendo en cuenta que estaba intentando poner barreras para no encariñarse y correr el riesgo de volver a sentir dolor.

—Así que me estás diciendo que me vaya haciendo a la idea de aspirar bolas de pelusa varias veces a la semana —dijo, intentando sonar indiferente sin llegar a conseguirlo.

—Esa es otra forma de decirlo —aceptó Christopher, por seguirle el juego, aunque tenía claro que todo era una actuación.

—¿Y si no me gusta la idea de pasar la aspiradora tan a menudo? —tenía la sensación de que no lo estaba engañando, ni siquiera se estaba engañando a sí misma.

En vez de decirle que él se quedaría con el perro, cosa que haría si ella hablaba en serio, Christopher decidió apelar a sus sentimientos y plantearle un escenario desolador.

—En ese caso, siempre podrías llevar a Jonny a la perrera. No lo sacrificarían. Bedford, a diferencia de otras ciudades, ha ilegalizado esa práctica. Claro está que no recibiría el amor y la atención que necesita, porque hay muchos animales allí. El ayuntamiento ha tenido que reducir la plantilla y, últimamente, ha disminuido el número de voluntarios que van a pasear a los animales y a jugar con ellos. Pero estaría vivo, aunque no tan feliz como si se quedara contigo.

Bajo la coraza de acero que Lily estaba intentando mantener, había un corazón blando y tierno. Aun así, Lily captó lo que pretendía hacer el veterinario.

—Has olvidado los violines —dijo, moviendo la cabeza.

—¿Qué? —el inesperado comentario lo desconcertó por completo.

—Violines —repitió ella—. De música de fondo. Los has olvidado. Tendrían que haber sonado mientras describías la escena para mí. Llegando a un crescendo hacia el final. Aparte de eso, acabas de crear un escenario digno de un melodrama.

—Solo quería que supieras a lo que se enfrentan estas criaturas —dijo él con expresión seria—. Ahora veamos si puedes conseguir que Jonathan se quede donde debe. Quieto —añadió, por si ella había creído que era una indirecta. Después, le guiñó un ojo.

Otra vez.

Ella reaccionó de la misma manera que antes. Se quedó sin aire y sintió mariposas en el estómago. La única diferencia fue que le parecía que el número de mariposas había aumentado.

No sabía cómo un gesto tan simple podía causar tal caos en su interior. ¿Estaría tan necesitada que se derretía por dentro y se olvidaba de respirar en el momento en que alguien le prestaba un poco de atención?

Lily no sabía cómo interpretarlo, así que optó por bloquear el asunto y prestar atención a lo que acababa de decir Christopher, en vez de a cómo reaccionaba a su aspecto.

—Vale, veamos si consigo que me escuche.

—Te escuchará —le aseguró Christopher—. No se trata de eso. Que te obedezca o no es otra historia.

La historia tuvo un final feliz unos noventa minutos después.

Con la ayuda de Christopher, había conseguido que el perrito se quedara quieto durante diez segundos mientras ella retrocedía. Ocurrió varias veces, y eso incrementó su confianza en sí misma y en su relación con el animal. Seguía teniendo que mantener contacto ocular con Jonathan, pero Christopher le prometió que, la siguiente vez que quedaran, llegaría al punto de poder dar la espalda a Jonathan sin que este se moviera del sitio.

—¿La siguiente vez? —repitió Lily. Más que una

pregunta, era una forma de asegurarse de haber oído bien.

—Sí, el fin de semana que viene —dijo él.

La miró de reojo, preguntándose si estaba ejerciendo demasiada presión, demasiado rápido. Normalmente, ni se lo habría planteado, pero tenía la sensación de que esa mujer requería un trato más delicado. Además, estaba seguro de que se lo merecía y de que merecía la pena. Algo en ella despertaba su naturaleza protectora, así como una inherente respuesta masculina. A pesar de su desencanto con las relaciones, Lily le gustaba de verdad.

—He pensado que, dados tus éxitos, te iría bien aprender unas cuantas órdenes más, por decirlo de alguna manera. A no ser que no quieras, claro —concluyó Christopher, ofreciéndole una vía de escape por si la necesitaba.

—Oh, sí que quiero —dijo ella. Como su voz sonó demasiado entusiasta, moduló el tono—. Pero lo que me interesa de verdad es que aprenda a controlar sus necesidades —confesó, preguntándose si pedía demasiado, si estaba aprovechándose de la generosidad del veterinario.

—Para hacer eso, no podemos estar aquí —repuso él—. Tendríamos que trabajar con él en tu casa. No podemos enseñar a Jonny a respetar sus límites si no están presentes —apuntó él.

—Eso no puedo discutirlo —aceptó ella. Después, miró su reloj de pulsera.

—¿Qué ocurre? —preguntó Christopher, captando una expresión de disculpa en su rostro. Por lo visto, se había perdido algo.

—Me siento culpable porque hayas dedicado tanto tiempo ayudándome a adiestrar a Jonathan, cuando podrías haber estado haciendo otra cosa. No me sentiría tan mal si me dejaras pagarte por tu tiempo, pero te niegas.

—No voy a cobrar por algo que me he ofrecido a hacer como voluntario —percibió de inmediato que eso no iba a paliar el sentido de culpabilidad de Lily. Así que pensó en otra opción—. Sin embargo, si algún día de estos sientes la necesidad de hacer más pastas, no podría rechazarlas, ¿no crees?

—¿Y una cena? —ella se sorprendió tanto como él al oír la sugerencia. Se quedó muda un segundo.

La frase quedó flotando en el aire, así que Christopher hizo un intento de adivinar a qué se había referido.

—¿Te refieres a salir a cenar primero?

«Tú lo has dicho, ahora aclaralo antes de que el hombre piense que está tratando con una loca».

—No, me refería a prepararte la cena para antes del postre. Una especie de dos por uno —explicó ella con una sonrisa nerviosa, pero sincera.

Durante un instante, él se quedó hipnotizado. Algunas personas tenían una sonrisa que parecía irradiar luz del sol, que hacía que los demás se sintieran mejor en su presencia. La sonrisa de Lily era de esas.

—No me gustaría ocasionarte tantas molestias —dijo él cuando recuperó la capacidad de formular frases coherentes. Pero lo dijo con poca convicción.

—No es ninguna molestia —replicó ella—. Además, tú te estás molestando mucho en ayudarme a adiestrar a Jonathan.

—No considero trabajar con perros una molestia. La verdad, desde que yo recuerdo, siempre quise ser veterinario —dijo él—. Mi padre murió cuando yo era muy pequeño, y mi madre pensó que tener un perro, o dos, ayudaría a llenar el vacío que había dejado su muerte en mi vida. Sin pretenderlo, puso ante mí mi vocación profesional. Agradecí lo que intentaba hacer, pero, la verdad, no se puede echar de menos lo que no se conoce, ¿no crees?

—Sí que se puede echar de menos si uno empieza a imaginar cómo habría sido tener un padre y comprende que, hiciera lo que hiciera, nunca habría sido así.

—Lo dices como alguien que tuviera experiencia en eso —dijo él, captando la tristeza de su voz.

Normalmente, ella habría dicho que no y hubiese cambiado de tema. Pero en esa situación no le parecía correcto mentir. Incluso una mentira piadosa le habría resultado molesta.

—Así es —admitió. Desviando la mirada, pensó en su infancia un momento—. Nunca conocí a mi padre. Se marchó antes de que yo naciera. Por lo visto, le dijo a mi madre que no estaba hecho para la paternidad y lo demostró marchándose —encogió los hombros como si no tuviera importancia.

Él deseó rodearla con los brazos, no solo para consolarla, sino también para ofrecerle protección contra el mundo. Eso era nuevo; hasta ese momento, solo había sentido ese tipo de reacciones respecto a seres del mundo animal. Sin embargo, intuyendo que podría asustarla si hacía algo tan personal cuando apenas se conocían, controló el impulso y se limitó a contestar.

—Lo siento.

—Sí, yo también lo sentí, por mi madre —su padre había abandonado a la persona a la que más había querido en el mundo, su madre. Por esa razón, nunca podría perdonarlo—. Le habría venido bien un poco de ayuda para criarme y pagar las facturas. Su vida fue una lucha constante.

—Eso mismo sentía yo —admitió él—. Pero mi madre nunca se quejaba. No creo haberla oído decir jamás una mala palabra. Simplemente lidiaba con la vida, haciendo lo que tenía que hacer.

—La mía tenía dos empleos, para intentar hacer eso mismo —era casi inquietante lo mucho que se parecían sus vidas familiares. Aunque no solía ser curiosa, quiso oír más detalles—. ¿Tienes hermanos o hermanas?

—Ninguno —Christopher movió la cabeza. Eso sí que habría deseado que fuera distinto—. ¿Y tú?

—Tampoco —contestó ella.

En vez de inquietarse aún más por la coincidencia, Lily comprendió que hacía que se sintiera más cercana a ese hombre. Era consciente del peligro que eso suponía, pero, en ese momento, decidió consolarse con la cálida sensación que crecía en su interior.

Capítulo 7

CHRISTOPHER acompañó a Lily al coche, que estaba aparcado a poca distancia del suyo.

Mientras esperaba a que consiguiera hacer subir al perrito al asiento trasero, se dio cuenta de que no le apetecía que su encuentro acabara así.

Eso lo sorprendió. No había sentido ningún interés por la compañía femenina desde su poco amigable ruptura con Irene, meses antes. Se dijo que tal vez, por fin, estaba listo para seguir adelante con su vida, en todos los sentidos.

Observando a Lily, decidió que no tenía nada que perder si sugería continuar con el adiestramiento de Jonathan en otro entorno. Cuando ella cerró la puerta trasera y se dio la vuelta, Christopher simuló consultar su reloj.

—Oye, no tengo nada programado para el resto

del día —dijo, alzando la vista—. ¿Por qué no te sigo y damos los primeros pasos para enseñar a tu huésped a no hacer sus necesidades en casa?

—¿En serio?

—En serio —respondió Christopher. Como no quería que se hiciera expectativas poco realistas, puntualizó—. Pero recuerda que he dicho «primeros pasos». Esto no es un proceso rápido, como el que Jonathan venga o se quede parado. Esto requerirá tiempo. Con algo de suerte y mucha vigilancia, en el mejor de los casos, podrías conseguir que controle sus necesidades en unas dos semanas.

—Pero yo trabajo, y mi horario no es siempre regular —miró a Jonathan en el asiento trasero—. ¿Cómo voy a poder mantener un horario regular con él? —se lamentó.

—Eso es un problema —concedió Christopher—. Pero no es imposible.

Ella se aferró a esas palabras como una náufraga a un salvavidas. Si terminaba por quedarse a Jonathan, le estaría eternamente agradecida a Theresa por haberle recomendado a ese veterinario. Era un regalo del cielo.

—Vale, escucho.

—Lo sacarás una vez por hora cuando estés en casa. Cuando te vayas, puedes dejarlo en una jaula para cachorros.

—¿Una jaula? —repitió ella, horrorizada por la sugerencia. Tenía que haberlo entendido mal—. ¿Me estás diciendo que meta a Jonathan en una jaula? —preguntó, incrédula—. Eso es cruel.

—No, no es cruel. Hay jaulas de varios tamaños, para acomodar a las distintas razas. Son aireadas y están diseñadas para que el perro se sienta seguro. Se mete a los cachorros en jaulas por la misma razón por la que se envuelve a los bebes recién nacidos en el hospital. Les gustan los espacios pequeños. Además, si solo pasan allí parte del día, como cuando estés trabajando, no ensucian la jaula porque no les gusta ir al baño en el sitio donde duermen.

—¿Y por qué en las pajarerías sí lo hacen? —había visto a más de un empleado de pajarería limpiando las jaulas en las que estaban los animales.

—Eso es porque los animales están enjaulados todo el tiempo. No tienen más posibilidad que hacerlo donde duermen. Eso dificulta mucho el adiestramiento del animal, pero no es tu caso.

Ella notó por su tono de voz que no aprobaba el trato que recibían los animales en las pajarerías. Aun así, la idea de obligar a Jonathan a pasar parte del tiempo en una jaula no le gustaba demasiado.

—No es que dude de lo que has dicho, ¿pero no hay otra forma de adiestrarlo? No me gusta la idea de meter a Jonathan en una jaula, a no ser que no haya otra opción —miró al perro con compasión—. Se parece demasiado a hacerle pasar tiempo en prisión —confesó.

—Bueno, hay otra alternativa —dijo él. Le gustaba que, a pesar de su empeño en aparentar indiferencia, Lily fuera tan blanda en realidad.

—Llevarlo al trabajo conmigo, como hice el primer día —adivinó Lily.

—O podrías dejarlo en mi clínica cuando vayas a trabajar y yo te lo llevaría por la noche. A no ser que salgas antes que yo, entonces podrías ir a recogerlo. Entretanto, uno de mis ayudantes se asegurará de que Jonny no tenga «accidentes».

Sin duda, esa parecía la mejor opción, pero, una vez más, a Lily le parecía demasiada molestia.

—¿No les importaría? ¿No te molestaría a ti?

—No y no —contestó Christopher. Se apoyó en el coche y le propuso un plan—. El otro día hice circular las pastas que llevaste y, si estás dispuesta a llevar una caja a mis empleados, digamos una vez a la semana, te garantizo que estarán más que dispuestos a enseñar a Jonathan a ir al baño —aseguró él.

Como seguían hablando, abrió la puerta delantera para permitir que el aire circulara dentro del coche. Al mismo tiempo, se colocó de modo que el perrito no pudiera salir y escapar.

—¿Lo dices en serio? —preguntó Lily.

Volvía a sentirse esperanzada. La idea era de lo más atractiva; no tendría que sentirse culpable por encerrar al perrito para que no convirtiera su casa en un enorme cuarto de baño.

—Desde luego —afirmó Christopher.

—Entonces, trato hecho —dijo ella.

—Fantástico. Les diré a todos que empiecen a buscar ropa nueva, una talla mayor de la que usan ahora —dijo él con expresión seria. El brillo chispeante de sus ojos lo delató.

—No hace falta que hagas eso —desechó Lily, moviendo una mano.

—¿Has cambiado de opinión sobre las pastas?

—Oh, no, nada de eso —Lily disfrutaba con la repostería, más aún cuando estaba destinada a una audiencia que la apreciaba—. Pero puedo hacer una versión baja en calorías, nadie notará la diferencia, y no necesitarán ropa más grande.

Él agradeció su buena voluntad, pero, en su opinión, lo «ligero» nunca era «mejor». No sabía ni parecido a lo que pretendía sustituir.

—Eso dices, pero yo siempre detecto una versión «ligera» —aseguró—. Nunca sabe igual.

Lily lo estudió un momento, con expresión inescrutable. Después, las esquinas de su boca se curvaron con humor.

—¿Me estás retando? —inquirió.

—No con esas palabras, pero bueno, sí, es posible —concedió.

Lily cuadró los hombros. Por primera vez desde que la vio entrar en la clínica veterinaria, su aspecto se transformó en formidable, pasó de ser un peso pluma a peso medio. Eso lo sorprendió.

—De acuerdo —Lily asintió con la cabeza—, reto aceptado. Haré las pastas normales y de vez en cuando una tanda de la versión ligera, apuesto a que no sabrás decir cuál es cuál.

—Trato hecho —aceptó él, convencido de que ganaría. Agarró su mano y la estrechó con toda naturalidad, sin ninguna intención.

Pero, en el momento en que Lily sintió los fuertes dedos rodeando los suyos, una especie de corriente eléctrica surcó sus venas. Se quedó sin aire por segunda vez ese día.

Sin saber por qué, se descubrió preguntándose si iba a besarla. Desechó la idea un segundo después, diciéndose que estaba loca. La gente no se besaba después de llegar a un acuerdo para organizar el día de una mascota. Las cosas no se desarrollaban así.

Carraspeando, como si eso pudiera ayudarla a librarse de los pensamientos que asaltaban su mente y estaban elevando su temperatura corporal, dejó caer la mano del veterinario y dio un paso atrás. Habría retrocedido más, pero el coche, que tenía a su espalda, bloqueó su huida.

—¿Sigues queriendo venir? —preguntó con voz tensa—. ¿A empezar con el adiestramiento? —para cuando acabó la frase, tenía la boca seca.

—A no ser que hayas cambiado de opinión —dijo Christopher. Él también había sentido la corriente eléctrica, seguida de un extraño anhelo y cierta inestabilidad. Se sentía atraído por la mujer, pero había más que eso. No sabía qué exactamente.

Aún.

—No, claro que no —se oyó decir Lily.

La voz resonó en su cabeza como si perteneciera a otra persona. Una parte de ella, la que temía lo que podía deparar el futuro, deseaba correr a esconderse, darle las gracias por su ayuda, subir al coche y alejarse a toda velocidad.

Pero eso sería actuar con cobardía.

Lily se preguntó de qué tenía miedo. Era una mujer adulta que llevaba ya un tiempo sola y que sabía cuidar de sí misma. No tenía a nadie a quien recurrir, a nadie que librara sus batallas por ella, así que todo estaba en sus manos. Dependía de ella misma y, por el momento, con algo de ayuda de Theresa, se había apañado bastante bien.

Decidió que sí, quería que él la acompañara a casa. Necesitaba su ayuda; si surgía algo más, ya se enfrentaría a ello cuando ocurriera.

—Te daré mi dirección por si nos separamos —le dijo, sacando una libreta diminuta del bolso. Tardó un par de minutos en encontrar un bolígrafo, pero, tras conseguirlo, empezó a escribir su dirección.

—¿Separarnos? —inquirió él—. ¿A qué velocidad piensas conducir?

—No demasiado rápido —aseguró Lily—. Pero siempre hay semáforos que se ponen rojos en los momentos más inoportunos. Puede que yo consiga pasar a tiempo, pero tú…, en fin, ese tipo de cosas —le entregó el pequeño papel—. ¿Lo entiendes? Mi letra es bastante desastrosa.

Él miró el papel y se rio.

—¿Esto te parece desastroso? Tendrías que ver cómo escriben algunos de mis amigos, su letra conseguiría que un farmacéutico se echara a llorar.

Riéndose, echó otro vistazo al papel, lo dobló y se lo guardó en el bolsillo.

—Espera a que llegue a mi coche antes de arrancar el tuyo. Te seguiré.

—Vale —aceptó Lily.

Rodeó el vehículo, sin que Jonathan le quitara la vista de encima, y se sentó al volante. Se puso el cinturón y esperó a que Christopher llegara a su coche y lo arrancara.

Entonces puso el suyo en marcha y fue hacia la salida. Menos de un minuto después, se incorporaba a la carretera. Echó un vistazo al retrovisor para ver si Christopher la seguía.

Así era.

Entretanto, Jonathan había empezado a andar por el asiento trasero. Cada vez que se detenía en un semáforo, Jonathan caía hacia delante.

Tras emitir un ladrido que sonó como un grito de ayuda, el perrito decidió que era más seguro tumbarse, así que lo hizo. Se estiró tanto como pudo, casi fundiéndose con el asiento.

—Ya casi estamos —prometió Lily, con la esperanza de que, aunque no entendiera sus palabras, al menos el tono de su voz lo calmaría.

Por lo visto, así fue, porque dejó de emitir gemidos hasta que aparcó ante su casa, unos quince minutos después.

En cuanto bajó del coche, Jonathan se puso en pie y empezó a andar por el asiento. En vez de dejarlo salir, Lily decidió esperar a Christopher, porque sabía que manejaba al perro mucho mejor que ella. Para empezar, era más fuerte.

Los minutos pasaron, alargándose.

Empezó a preguntarse si Christopher la había perdido de vista en algún momento; había dejado de mirar por el retrovisor una vez estuvo tras ella.

De pronto comprendió que eso habría dado igual. Tenía su dirección, así que, aunque se hubiera despistado, ya tendría que estar allí.

Supuso que tal vez había cambiado de opinión respecto a ir a su casa. El paso de los minutos confirmó su teoría. Debía de haber decidido que ya le había dedicado demasiado tiempo.

Sintió una incómoda contracción en el estómago. No sabía por qué la afectaba tanto ese cambio de opinión. Al fin y al cabo, no se trataba de una cita. El hombre la había ayudado mucho y le estaba muy agradecida. No tenía derecho a pedir más cuando ya había hecho tanto.

Jonathan empezó a gemir, devolviéndola a la realidad. Estaba permitiendo que su decepción diera al traste con su sentido común. Rápidamente, puso freno a los sentimientos que amenazaban con abrumarla.

—Perdona —le dijo al perrito. Abrió la puerta trasera una rendija, lo justo para agarrar la correa. Estaba aprendiendo—. No pretendía olvidarme de ti —le dijo al perro.

Sujetando la correa con firmeza, Lily abrió la puerta del todo. Jonathan no necesitó más. Saltó afuera, saboreando su libertad como un preso recién liberado tras un largo encierro.

—Despacio —advirtió—. ¡Despacio!

Sus palabras no tuvieron el menor efecto en Jonathan, lo que la frustró bastante. Entonces recordó lo que Christopher había enseñado al perro y, al mismo tiempo, a ella.

—Jonathan, ¡quieto! —exclamó, con la voz más autoritaria que pudo.

El perro dejó de intentar correr hacia la casa y se quedó inmóvil como una estatua, esperando a que lo liberara de la orden con la otra palabra que Christopher le había dicho que usara.

Lily se situó de cara a la casa para que el perro no la pillara desprevenida cuando echase a correr.

—Ve —dijo, con tono autoritario.

Tal y como había esperado, Jonathan volvió a trotar hacia la puerta delantera.

—Algún día, perro, tendrás que controlar ese entusiasmo tuyo. Pero adivino que no va a ser hoy —dijo, resignada a convivir con una fierecilla medio domada al menos unas semanas.

Mientras abría la puerta, la idea de dejar al perro en la clínica cada mañana empezó a parecerle más y más atractiva.

Dejó pasar a Jonathan, soltó la correa y echó el cerrojo. Había habido algunos robos en la urbanización en los últimos meses y no quería que su casa engrosara esa estadística.

—Parece que estaremos solos esta noche, Jonathan. Pero no importa, no necesitamos a Christopher. Nos irá bien sin él.

El perro respondió con un gemido. Lily suspiró y se sentó en el sofá.

—Lo sé, lo sé, ¿a quién pretendo engañar? No estamos bien solos, pero tendremos que apañarnos, ¿vale? Me alegra que estés de acuerdo —dijo, simulando que el silencio de Jonathan expresaba conformidad.

Pensó en las lecciones de higiene canina que tenía por delante y decidió empezar ya.

—¿Qué te parece si cenamos muy, muy pronto? Llenaremos esa barriguita tuya y pasaremos el resto de la tarde intentando que la vacíes. ¿Te parece buen plan? —preguntó, mirando al perrito—. A mí tampoco. Pero hay que hacer lo que hay que hacer, así que más vale que empecemos. Cuanto antes aprendas, más felices seremos los dos.

Justo entonces, sonó su teléfono móvil. Pensó que sería Theresa, que habría recibido otra reserva y querría comentar posibles postres con ella.

Agarró el bolso y empezó a rebuscar en su caótico interior.

—¿Por qué siempre está al fondo? —le preguntó al perro, que la miró como si estuviera hablando en chino—. No me ayudas nada —murmuró—. Ah, lo encontré —triunfal, sacó el teléfono del bolso.

Automáticamente, miró la pantalla antes de contestar.

Quien llamaba era Christopher Whitman.

Capítulo 8

LILY pulsó la banda verde que aceptaba la llamada.

—¿Hola?

—Lily, hola, soy Chris —la voz grave que sonó al otro lado del teléfono pareció envolverla y llenar el aire que la rodeaba—. Me temo que ha habido un cambio de planes. No voy a poder ir a tu casa.

—Eso ya lo había imaginado —le dijo con tono despreocupado, para ocultar la decepción que sentía. Aunque había aceptado que no lo vería esa tarde, no podía negar que había sentido cierta esperanza al ver que era él quien llamaba.

Normalmente, Christopher lo habría dejado así y se habría despedido sin más explicaciones. Pero esa vez no quería hacerlo.

Siempre había sido honesto consigo mismo y tenía que admitir que no se trataba de una situación normal. No para él. No sabía por qué, pero quería salvaguardar todas su opciones, por si acaso.

—Un coche a atropellado a Rhonda —dijo.

—Oh, cielos, eso es terrible —la compasión de Lily saltó a primer plano, borrando cualquier otra emoción, a pesar de que el nombre no significaba nada para ella. Christopher no había mencionado a la mujer antes, pero era obvio que significaba mucho para él—. ¿Puedo hacer algo para ayudar?

—No, lo tengo controlado —dijo—. Pero me gustaría dejar la sesión de adiestramiento para otro día, si te parece bien.

—Claro, desde luego —se apresuró a decir ella. Siempre que alguien mencionaba un accidente de coche, un escalofrío recorría su espalda. Sentía empatía ante cualquier tipo de desgracia—. No te preocupes. Ve con Rhonda.

«Quienquiera que sea», añadió para sí.

No sabía si Christopher estaba hablando de una amistad, un miembro de su familia o, tal vez, una novia o alguien incluso más importante. Lo que sabía con certeza era que el hecho en sí sonaba terrible y que lo sentía mucho por él.

No pudo sino asombrarse de que él se hubiera acordado del adiestramiento de Jonathan en un momento como ese. O el hombre tenía un corazón enorme, o había algo raro en el asunto.

—De verdad espero que salga adelante, Christopher —le dijo con toda sinceridad.

Siguió un silencio al otro lado de la línea. Estaba a punto de pensar que ya no tenía conexión, cuando oyó la respuesta de Christopher.

—Sí, yo también.

—Hazme saber cómo está —dijo Lily—, solo si tienes oportunidad —añadió. No quería parecer pesada o insistente en esas circunstancias.

—Sí, claro.

Podían ser imaginaciones suyas, pero Lily pensó que su voz sonaba extraña, confusa tal vez.

—Tengo que irme —añadió él con tono grave y urgente. Después, cortó la comunicación.

Lily se quedó mirando el teléfono móvil un momento, aunque ya no había nadie al otro lado de la línea.

—Parece que estaremos solos tú y yo, Jonathan —dijo. El labrador soltó un ladrido agudo, como si estuviera de acuerdo.

Lily dejó el móvil en la mesita de café y fue a la cocina a comprobar si tenía algún mensaje en el contestador. Tal vez el propietario del perro había visto sus carteles y había llamado para recuperarlo.

Tenía tres llamadas. Se quedó mirando la luz parpadeante, planteándose la posibilidad de borrar los mensajes sin escucharlos. Así no tendría que contestar a la llamada.

«Venga, Lily, no puedes utilizar la ignorancia como excusa. Estabas deseando librarte de don Bola de Pelo cuando lo encontraste, ¿recuerdas? No habrías colgado esos carteles si no fuera así».

Lo cierto era que había cambiado de opinión en las últimas horas. En realidad, había ido cambiando día a día, de forma gradual. A pesar de los problemas que ocasionaba el perrito en su vida, no tenía ganas de entregárselo a un desconocido, ni de perderlo de vista para siempre.

Lily movió la cabeza. Era asombroso lo rápido

que se había acostumbrado a tener a otra criatura ocupando su espacio.

—Estás encariñándote otra vez, Lily —se recriminó—. Sabes que eso es algo que pretendías evitar.

Pero, lo quisiera o no, ya era oficial. Miró al perrito. Le gustaba ese montón de pelo que no dejaba de moverse. Le gustaba mucho.

—Bueno, ¿qué quieres hacer antes? —le preguntó a Jonathan.

Ensanchó los ojos al ver que alzaba el rabo de esa forma peculiar que hacía que pareciese un paréntesis. Recordó que solo ocurría cuando quería eliminar residuos de su cuerpo.

—Oh, no, no, no —clamó.

Lo agarró del collar, no tenía tiempo de buscar la correa, y lo llevó rápidamente a la parte trasera de la casa, que daba al jardín.

—¡Aguanta, aguanta, aguanta! —repitió hasta que estuvieron afuera. En cuanto calló, el perrito hizo lo que tenía que hacer. Lily habría preferido que hubiera esperado hasta llegar a la hierba, pero, sin duda, el suelo de cemento de la terraza era mucho más apropiado que la moqueta o el suelo de mármol de la cocina.

—¿Has terminado? —le preguntó al perro. En respuesta, el perro trotó hacia la puerta corredera de cristal, reclamando volver a entrar en la casa—. Vale, me tomaré eso como un sí. Pero quiero que avises en cuanto sientas urgencia de librarte del desayuno o de todos esos premios que has conseguido que te diera en el parque.

Actuando como si su ama hubiera dejado de hablar, en vez de estar dándole instrucciones, Jonathan empezó a olisquear los rincones de la casa, dejando claro que buscaba comida.

Podía meter la nariz en casi cualquier sitio, incluso bajo los armarios de la cocina. Allí solía haber migas y Jonathan andaba en su busca.

—No vas a encontrar nada —le advirtió Lily—. Tengo la casa muy limpia, y eso significa que no quiero que sueltes pelusas por todas partes. Tengo mejores cosas que hacer que pasar la aspiradora dos veces al día —se volvió hacia la despensa—. Venga, te daré la cena; después agradecería que te tumbaras junto al sofá y te durmieras.

Primero sirvió la comida de Jonathan, después fue a prepararse algo para ella.

Por el rabillo del ojo, vio al perrito dar cuenta de su comida en un santiamén. Luego, se sentó junto a sus pies, esperando que dejara caer algo al suelo o se compadeciera lo suficiente para compartir su cena con él.

—Puedes mirarme cuanto quieras con esos enormes y tristes ojos de perrito —dijo con firmeza—. No va a ocurrir. Mientras sea yo quien cuide de ti, no te convertirás en un perro gordo y pedigüeño.

Jonathan no dio la menor indicación de entenderla o agradecer que se preocupara de su salud. Parecía haberse convertido en un estómago andante, dispuesto a vender su alma perruna por una migaja de comida.

Lily tenía toda la intención de mantenerse firme. Aguantó cuanto pudo, mirando hacia cualquier lado menos a él mientras comía. Pero sentía la patética mirada de Jonathan clavada en ella. Descubrió, a su pesar, que no podía resistirse indefinidamente.

Con un suspiro, rompió un trocito del sándwich que estaba comiendo y lo puso en el suelo, ante Jonathan. Desapareció en su boca antes de que ella volviera a incorporarse. Lily movió la cabeza con incredulidad.

—No me gustaría estar en una isla desierta con especímenes como tú. A los dos días empezarías a verme como un montón de chuletas crudas.

Jonathan ladró y ella estuvo segura de que expresaba su aprobación.

Tras recoger los dos platos y el cuenco que había usado, Lily descubrió que estaba demasiado inquieta para irse a la cama, e incluso para ver algún inane programa televisivo con la esperanza de que le entrara el sueño.

Era domingo por la noche y, por norma, no emitían nada que mereciera la pena en ninguno de los innumerables canales que recibía por cable.

Aun así, encendió la televisión para paliar el silencio mientras fregaba los cacharros.

Sin nada interesante que ver y con su nuevo compañero de cuatro patas dormido en un rincón, Lily decidió hacer lo habitual en ella cuando necesitaba relajarse.

Hornear algo.

Empezó sacando todo lo que podía servir para hacer pastas y alineó los contenedores, cajas y tarros en un extremo de la encimera. Tras ver con lo que contaba, Lily decidió qué hacer.

Iba por la tercera tanda de pastas de estilo bávaro, que eran bajas en calorías, para demostrar que las pastas no necesariamente engordaban, cuando sonó el timbre de la puerta.

El perro alzó la cabeza de inmediato. En medio segundo pasó del sueño al estado de alerta.

—Mantén la pose, puede que te necesite —le dijo a Jonathan, limpiándose las manos.

Fue hacia la puerta, seguida por su peluda sombra. No perdió el tiempo diciéndole que se quedara quieto. Tenerlo a su lado le proporcionaba un aura de seguridad que hacía tiempo que echaba en falta. Mentalmente, cruzó los dedos y deseó que no fuera alguien que llegaba a reclamar al perrito.

—¿Quién es y qué quiere? —preguntó, en vez de mirar por la mirilla que, a su juicio, distorsionaba la imagen de quien estaba al otro lado de la puerta.

—Chris Whitman, y quiero disculparme.

El corazón de Lily se desbocó. Abrió el cerrojo.

—Ya te has disculpado. ¿No te acuerdas? —preguntó, abriendo la puerta—. Cuando llamaste para decir que no vendrías, te disculpaste.

Él sí se acordaba, pero no le había parecido suficiente. Además, después de por lo que había pasado, no quería volver de inmediato a su casa vacía. Quería ver un rostro amigable, hablar con alguien y relajarse en compañía. Lo sorprendía que le apeteciera precisamente eso, porque, hacia el final, librarse de su relación con Irene había supuesto un gran alivio.

Pero Lily no era Irene.

—Quiero pedir disculpas otra vez. Y sigo siendo Chris Whitman —añadió con voz risueña.

—Ni siquiera hacía falta que te disculparas la primera vez —apuntó ella—. Fue agradable que pensaras en hacerlo, pero lo habría entendido. Tenías una crisis de la que ocuparte. Por cierto, ¿cómo está?

—Mejor de lo que esperaba. Parece que va a salir adelante —dijo él, asintiendo con la cabeza.

Había habido un momento muy crítico. No era la primera operación que realizaba, pero sí la más difícil, a pesar de tener mucha experiencia como voluntario en refugios para animales. La setter irlandés, de cinco años, había requerido una cirugía muy delicada.

—Es una gran noticia —dijo Lily, genuinamente complacida. Tuvo que alzar la voz, porque Jonathan había decidido participar en la conversación. Obviamente, tenía la sensación de que lo estaban ignorando, sobre todo el hombre que tanto le gustaba—. Pero ¿qué haces aquí? ¿No deberías estar en el hospital con ella?

Christopher se agachó para rascar al perrito detrás de las orejas. Jonathan, en estado de puro éxtasis, se revolcó por el suelo.

—En circunstancias normales, habría pasado la noche allí, pero está Lara —explicó Christopher—. Se ofreció voluntaria para este turno. Y puede llamarme si ocurre algo.

A Lily le pareció una forma muy extraña de exponer la situación.

—¿Lara? —repitió en voz alta. Se preguntó cuántas mujeres había en la vida de ese hombre.

—Sí —Christopher comprendió que seguramente no había presentado a Lily a todo el personal cuando estuvo en la clínica—. Es una de las auxiliares. La conociste el otro día cuando llevaste a Jonny a la clínica.

El cerebro de Lily se paró en seco. Alzó la mano para que él callara un momento. Necesitaba aclarar tanto su mente como los hechos.

—¿Una de tus auxiliares veterinarias está vigilando a Rhonda? —preguntó con incredulidad, intentando descifrar lo que Christopher decía.

—Sí. ¿Por qué? ¿Qué tiene de malo? —preguntó, desconcertado por la expresión de Lily—. Tampoco es como si fuera la primera vez.

Lily decidió que la única forma de aclarar las cosas era hacer algunas preguntas básicas.

—¿Cuál es tu relación con Rhonda? Sé que no es asunto mío, pero tengo la impresión de que estamos hablando de cosas que…

—Espera —ordenó él—. Retrocede —no estaba seguro de haberla oído bien. O tal vez sí—. ¿Qué acabas de preguntarme?

Lily pensó que estaba enfadado por su curiosidad. No quería poner en peligro su relación con Christopher. Necesitaba que la ayudara con el cachorro.

—Perdona. Supongo que te parezco entrometida —dijo—. Solo intentaba aclarar las cosas, pero, si no quieres hablarme sobre Lara, o Rhonda, estás en tu derecho y yo…

Christopher se dio cuenta de que el malentendido se les estaba yendo de las manos. La única forma de impedir que la bola de nieve se convirtiera en un alud incontrolable era soltar la verdad de un tirón, lo antes posible.

—Rhonda es la setter irlandés de mi vecino —aclaró—. Josh me llamó con un ataque de pánico cuando conducía hacia tu casa, para decirme que un conductor errático había golpeado a Rhonda y no había parado. Estaba viva pero había perdido mucha sangre. No pude decirle que no.

«¿Rhonda es una perra?». Lily vio la pregunta en

su mente, escrita con letras mayúsculas. La oleada de alivio que sintió fue abrumadora, pero decidió no analizarla de momento. No estaba preparada para eso aún.

—Claro que no podías —ratificó.

Lo dijo con tanta fiereza que Christopher pensó que se burlaba de él. Pero le bastó una mirada a sus ojos para saber que hablaba en serio. Y, además, estaba adorable al hacerlo.

Mucho después, Christopher comprendió que su camino sin retorno había empezado en ese mismo minuto.

Igual que empezó el de ella.

Para Lily, fue al darse cuenta de que el hombre que la estaba ayudando a adiestrar a Jonathan no era solo amable cuando le convenía serlo, o cuando intentaba ganar puntos con una mujer a la que acababa de conocer y por quien parecía sentirse moderadamente atraído. El punto sin retorno para ella, cuando supo que ya no podía cerrarle su corazón, llegó al descubrir que Christopher carecía de egoísmo, sobre todo en cuanto a los animales que lo necesitaban.

Su corazón se puso a la venta y el hombre que tenía delante lo compró en ese mismo instante.

De repente, Christopher inspiró profundamente.

—¿Qué es ese fantástico olor? —fue una pregunta retórica, porque estaba casi seguro de conocer la respuesta.

Lily esbozó una sonrisa tan amplia que tuvo la sensación de que su rostro iba a partirse en dos.

—¿Por qué no vienes y lo compruebas tú mismo? —giró sobre los talones y fue hacia la pequeña cocina. No se dio cuenta de que andaba casi a saltitos.

Pero Christopher sí lo notó.

La compacta cocina contaba con una isla central, pequeña pero lo bastante grande para acomodar dos de las tres bandejas de pastas que Lily había preparado. La tercera seguía en el horno.

Cuanto más se acercaba, más se acentuaba el aroma. Christopher se transformó en un niño que entrara en su tienda de caramelos favorita.

—¿Son las mismas pastas que hiciste el otro día? —preguntó, con apetito.

—Algunas sí, otras no. Me gusta mezclar.

Las pastas aún estaban calientes y emitían un canto de sirena que hipnotizaba a Christopher.

—¿Son todas para el trabajo? —preguntó, rodeando la isla lentamente, sin dejar de mirar las bandejas.

—No, son para mí —corrigió ella—. No para comérmelas —aclaró—. Cocinar me relaja. Suelo regalarlas cuando acabo —señaló las bandejas—. ¿Te gustaría probar una?

Antes de que hiciera la pregunta, Christopher ya había aceptado la oferta que suponía iba a hacerle.

Capítulo 9

ERES, sin duda, una joven de increíble talento.

Christopher emitió el cumplido tras saborear el primer bocado de la pasta que había elegido al azar. Estaba rellena de nata montada y tenía el toque justo de amaretto. Era tan ligera que no lo habría sorprendido verla levitar.

—Solo horneo —dijo ella, encogiendo los hombros. Aunque agradecía el elogio, no quería darle la impresión de que iba a subírsele a la cabeza.

—No —corrigió Christopher—. Mi difunta madre, Dios la bendiga, «horneaba». Sus postres, cuando los hacía, sabían a amor, pero eran predecibles, buenos pero no especiales. Los tuyos son más que especiales. Tú no «horneas», tú creas. La diferencia es enorme.

Christopher hizo una pausa mientras se deleitaba de nuevo. Se comió casi tres cuartas partes de la pasta antes de seguir hablando.

—Suelo ser una de esas personas que comen para vivir, no que viven para comer. Nadie podría acusarme nunca de ser un comilón, o como se llamen esas personas que disfrutan hablando de sus «aventuras gastronómicas». Pero, si tuviera acceso a esto cada vez que me apeteciera disfrutar de una experiencia mística, cambiaría de afiliación, aparte de engordar una barbaridad. Por cierto —Christopher la miró de arriba abajo—, ¿por qué no estás gorda tú?

—Ya te lo he dicho, no me como lo que hago —antes de que él dijera que le costaba creerlo, siguió—. Sí, pruebo un poco de esto y de aquello, para asegurarme de que no hará vomitar a nadie, pero nunca he sentido deseos de comerme una bandeja de pastas.

La expresión de Christopher le indicó que le costaba conciliar eso con la reacción que sentía él hacia el resultado de sus esfuerzos culinarios.

—Yo en tu lugar, tendría una seria conversación contigo misma, porque esa testarudez te está impidiendo mantener una relación amorosa con tus papilas gustativas —lamió el poquito de nata montada que le quedaba en los dedos y descubrió que quería más—. ¿Cómo has inventado estas? —preguntó, señalando la bandeja de pastas que tenía más cerca.

La técnica de Lily no era ningún secreto. Se basaba en un enfoque práctico.

—En realidad es un proceso simple. Reúno un montón de ingredientes y veo adónde me llevan —a modo de refuerzo, Lily señaló los envases, tarros y cajas que estaban agrupados en un extremo de la encimera.

A él le parecía una forma extraña de explicarlo. Pero la gente creativa tenía un proceso mental distinto al del resto de los mortales.

—¿Qué significa eso? —preguntó con curiosidad—. ¿Miras los ingredientes hasta que, de repente, te hablan?

—No con tantas palabras, pero sí, puede. ¿Por qué?

Él movió la cabeza, aún maravillándose de que ese enfoque pudiera llevarla a crear algo tan divino. No le habría costado ningún esfuerzo comerse media docena de pastas seguidas.

—Intento familiarizarme con tu proceso creativo —respondió él—. Nunca había estado en presencia de una maga.

—Ni lo estás ahora. No es magia, es repostería. Y, por cierto —dijo—, acabas de comerte una de mis pastas «ligeras», bajas en calorías.

—Estás de broma —la miró, preguntándose si decía la verdad o lo estaba engañando.

—No cuando se trata de calorías —repuso ella con tono solemne.

—¿Bajas en calorías? —repitió él, mirando las pastas que quedaban en las bandejas.

—Sí —confirmó ella—. Ya te dije que no podías notar la diferencia.

Christopher movió la cabeza, claramente impresionado.

—Eso si que es repostería inspirada —musitó con asombro.

—Vale, eso sí lo acepto —dijo Lily. Si quería halagarla, no tenía por qué impedírselo—. ¿Puedo prepararte algo de cena para acompañar tu postre «mágico»? —preguntó, sorteando a Jonathan, que parecía ensimismado y pendiente de su héroe.

—No, gracias, estoy bien —al ver que ella enarcaba una ceja, continuó—. Compré una hamburguesa de camino hacia aquí. No quería molestarte.

—¿Y te la has comido ya? Porque aún puedo prepararte algo más comestible que una hamburguesa de un sitio de comida rápida.

A él le gustó cómo arrugaba la nariz con lo que parecía un inconsciente desdén hacia la industria de la comida rápida en general.

—No lo dudo, pero la hamburguesa rellenó el agujero de mi estómago, por el momento. Además, cuando te pedí dejar el adiestramiento para otro día, me refería también a lo de cenar. Salir a cenar —recalcó.

—En casa no hay que esperar a que te sienten —comentó ella. Para Lily, cocinar era una forma de expresarse y disfrutaba haciéndolo. Quería convencerlo de que no suponía ninguna molestia.

—¿No te gusta que te sirvan? —preguntó él.

—No especialmente —admitió ella. Después, para que no la creyera un bicho raro, añadió—. Pero no me gusta demasiado fregar los cacharros.

—¿Lo haces? —preguntó él con sorpresa—. ¿Fregar cacharros? —aclaró al no recibir respuesta.

—Sí —no entendía el porqué de la pregunta. Acababa de decirle que lo hacía.

—¿No funciona el lavavajillas? —miró el aparato, que estaba junto a la cocina.

—No lo sé, nunca lo he usado. Vivo sola y no me parece bien usar tanta agua para unos pocos platos.

—Entonces, espera hasta tener bastantes sucios para llenar el lavavajillas —sugirió él.

—Eso me parece aún peor —Lily tuvo que controlar un escalofrío al imaginarse platos sucios, unos sobre otros—. La idea de acumular cosas sucias hasta tener suficientes me suena fatal —dijo con sentimiento—. Es más fácil fregar sobre la marcha. Mi madre me enseñó eso —dijo, sin venir a cuento—. Esta era su casa, nuestra casa, aunque yo nunca colaboré económicamente. Mi madre se ocupaba de todo —recordó con cariño—. Necesitaba dos empleos, a veces tres, para pagar las facturas.

Siguió hablando, sumida en sus recuerdos.

—Si sobraba algo, lo apartaba para que yo fuera a la universidad. Para cuando llegó ese momento, había bastante dinero en ese fondo de ahorros. Suficiente para que pudiera empezar la carrera que quisiera.

—¿Adónde fuiste? —preguntó Christopher, interesado. Vio cómo su sonrisa se apagaba.

—No fui —Lily irradiaba dolor—. Ese fue el año que mi madre enfermó. Al principio, los médicos a los que visitó le decían que eran imaginaciones suyas. Hasta que uno decidió hacerle una serie de pruebas más complicadas y mi madre supo que no eran imaginaciones. Tenía un tumor cerebral.

Dijo el diagnóstico con voz tan queda que Christopher no lo habría oído si no hubiera estado cerca de ella.

—Para cuando lo encontraron, tenía tantas metástasis que extirparlas todas era demasiado difícil. La operaron e hicieron cuanto pudieron, hasta que mamá dijo: «Se acabó». Les dijo que quería morir en casa, entera. Y lo hizo —concluyó Lily con orgullo. Le tembló la voz mientras luchaba contra las lágrimas que surgían siempre que hablaba de su madre—. Utilicé el dinero de la universidad para pagar sus facturas médicas —Lily encogió los hombros con impotencia, como si eso la hubiera ayudado a soportar su pérdida—. Me pareció lo correcto.

Lily dejó de hablar para limpiarse las lágrimas que insistían en escapar de sus ojos.

—Disculpa, me emociono mucho si hablo de mi madre durante más de dos minutos —intentó sonreír, con éxito parcial—. No era mi intención ponerme triste y sombría contigo.

—No importa —le aseguró él—. Sé lo que es perder a una madre que lo sacrificó todo por uno. Darías hasta el último céntimo para pasar un día más con ella. Pero como no puedes, intentas demostrarle al mundo que ella no se equivocaba respecto a ti. Que puedes hacer algo que cuente, algo que suponga una diferencia. No tengo ninguna duda de que en algún sitio, tu madre y la mía nos observan y están satisfechas de las personas que criaron con su esfuerzo —dijo él, con una sonrisa de consuelo.

Ella inspiró profundamente, esforzándose por controlar sus emociones. Lo que Christopher había dicho la reconfortaba mucho.

—¿De verdad piensas eso?

—Estoy seguro —replicó él. La miró y vio el brillo de una lágrima—. Te has dejado una.

Alzó su barbilla con la punta del dedo y la echó hacia atrás. Después, con el pulgar, Christopher limpió la lágrima vagabunda que surcaba su mejilla.

Sus ojos se encontraron un largo momento y ella tuvo la sensación de que el aliento que estaba conteniendo se solidificaba en su garganta.

Esperando.

Deseando.

Intentando no hacerlo.

Y entonces, todo lo demás, la cocina, las pastas, e incluso el activo perrito que era el responsable de que se hubieran conocido, se difuminó hasta desaparecer.

Ella era muy consciente del ritmo desbocado que había adquirido su corazón.

Christopher bajó la boca hacia la suya y suavemente, como un rayo de sol que acariciara su piel, la besó.

Se apartó de inmediato y, por un segundo, ella pensó que el latido frenético de su corazón lo había asustado.

—Perdona, no pretendía aprovecharme de ti de esa manera —dijo él, aún con la mano en su mejilla.

—No lo has hecho —Lily temía que se le cascara la voz—. Y no hay nada que perdonar, excepto…

—¿Excepto? —la animó él.

Lily movió la cabeza, no quería seguir. Solo iba a avergonzarse a sí misma, y a él, si decía más.

—He dicho demasiado —musitó.

—No —la contradijo él—, no has dicho suficiente. Excepto ¿qué? —insistió.

Lily titubeó. Quizás tenía derecho a saberlo.

—Excepto que tal vez no haya durado bastante —murmuró, con las mejillas ardiendo de rubor.

—Tal vez no —aceptó él—. Veamos si esta vez lo hago mejor —murmuró él, antes de posar la boca en la suya por segunda vez.

En esa ocasión, nada ocurrió a cámara lenta. Ella sintió el calor circular por sus venas a la velocidad del rayo, recorriendo todo su cuerpo.

Habían estado sentados en los taburetes giratorios de la cocina y Lily sintió cómo se deslizaba hacia el suelo, rodeando el cuello de Christopher con los brazos.

Él se levantó en el mismo instante que ella.

Sus cuerpos se juntaron. La electricidad que había entre ellos chisporroteaba con fuerza inusitada.

Él paladeó la dulzura de su boca con más intensidad que sus creaciones de harina y nata. El amaretto de la pasta le había gustado, pero el sabor de esos labios era mucho más embriagador.

Tanto que campanas de alarma empezaron a sonar en todo su cuerpo, advirtiéndole que estaba metiéndose en algo para lo que quizás no estuviera preparado.

La magnitud de sus sentimientos bastó para hacer que Christopher retrocediera, preocupado por la consecuencias que lo esperaban si no tenía cuidado.

No fue fácil, pero se obligó a apartarse.

—Tal vez sería mejor que me fuera —dijo, con voz grave, casi arenosa.

Ella necesitaba tiempo para recomponerse. Tiempo para intentar entender lo que estaba ocurriendo allí, aparte de su derrumbamiento. Tiempo para recomponer la coraza que rodeaba su corazón, ya que esta se había agrietado.

—Puede que sí —aceptó.

Christopher intentó recordar qué lo había llevado allí para empezar. Le resultaba difícil fijar sus pensamientos; estaban dispersos y difusos. Solo era consciente de cuánto la deseaba.

—Solo quería decirte en persona por qué no vine esta tarde —consiguió decir, al fin.

—Te lo agradezco —dijo ella—. Agradezco todo lo que has hecho —añadió.

Lily empezaba a serenarse, por fin. Experimentó un gran alivio al recuperar la capacidad de pensar. Volvía a sentirse en posesión de sus facultades mentales. Al menos lo suficiente para poder mantener una conversación normal.

Algo en ese hombre amenazaba el mundo que había construido cuidadosamente, y si no estaba en guardia, todo lo que había hecho para proteger su corazón se disiparía como el humo.

—¿Por qué no te llevas un par para el camino? O más si quieres —sugirió Lily, esforzándose por hablar con tono normal. No era fácil hablar con el corazón en la garganta.

—¿Un par para el camino? —repitió él. Acababan de besarse, se preguntó si se refería a eso, mirándola con incertidumbre.

—O más —repitió ella—. Puedo envolver tantas pastas como quieras llevarte. Incluso podrías llevar alguna a tu pobre vecino, para compensarlo por el mal rato que ha pasado.

Entonces, todo encajó. Lily hablaba de las pastas, no de besarlo otra vez. Christopher se rio, más de sí mismo y de lo que había interpretado, que de lo que Lily estaba diciendo.

—Eres demasiado generosa —dijo.

—Me gusta regalar sonrisas, y estas pastas hacen que la gente sonría.

—Eso es cierto —dijo él. Miró las bandejas de pastas—. Soy una prueba viviente de ello.

—Entonces, deja que te dé algunas —no sonó a petición, sino a declaración de intenciones.

Un par de minutos después, había ocho pastas envueltas en una caja de cartón.

—¿Seguro que no quieres más? —preguntó. Él la había detenido cuando alcanzaba la novena, alegando que ocho ya eran demasiadas.

—Las quiero todas —dijo con sinceridad. «Y ahora mismo quiero más que pastas», pensó. Se obligó a concentrarse para evitar que ese pensamiento asomara a su rostro—. Pero sería puro egoísmo, ya has empaquetado más que suficientes —como no quería dejarlo así, siguió hablando—: Puedo venir mañana por la tarde, si quieres, y retomarlo donde lo dejamos.

Demasiado tarde, Christopher se dio cuenta de que la mala formulación de esa última frase podía dar lugar a un malentendido.

—Donde dejamos el adiestramiento de Jonny —añadió, incómodo.

Nunca se le había dado bien hablar, no era de los que podían venderle cubitos de hielo a un oso polar, pero tampoco había tenido nunca tantos problemas para expresar lo que quería decir. Sin duda, esa mujer había empeorado su capacidad de comunicarse. Se preguntó por qué.

No tenía una respuesta clara, y la única que se le ocurría lo ponía muy nervioso.

—Eso sería muy amable de tu parte —decía Lily, mientras lo acompañaba a la puerta. Jonathan los acompañó, correteando y enredándose entre sus piernas—. Hornearé algo distinto la próxima vez —prometió con una sonrisa que a él se le metió bajo la piel.

—Si lo haces, tendré que empezar a comprarme la ropa en la sección de tallas grandes —rio Christopher, moviendo la cabeza y abriendo la puerta.

Lily lo recorrió con la mirada, como si quisiera confirmar lo que ya sabía.

—Falta mucho para que ocurra eso —le aseguró.

—No tanto como crees —contestó él, justo antes de salir. No se atrevía a seguir en el umbral ni un segundo más.

Ella le hacía desear cosas que no debía. Cosas que, si no recordaba mal, solo conducirían a un final infeliz en un futuro próximo.

«Ya has pasado por eso», pensó, mientras subía al coche y lo ponía en marcha.

Como si quisiera contradecirlo, el cálido aroma de las pastas pareció acentuarse, llenando el coche. Eso le hizo pensar en Lily durante todo el camino a casa.

Capítulo 10

NO encontraba una postura lo bastante cómoda para dormir más de unos minutos seguidos. Y cuando conseguía quedarse dormida, acababa soñando con lo que la estaba manteniendo despierta, perpetuando su dilema.

Soñaba con un par de magnéticos ojos azules que la absorbían, con pelo rubio pajizo lo bastante ondulado como para que le cosquillearan los dedos por su deseo de enredarlos en él.

Y al final de cada uno de esos breves sueños, Lily experimentaba una intensa sensación de abandono, de haberse quedado atrás irreversiblemente, para seguir con su vida en soledad.

Se sentía como si alguien la hubiera vaciado por dentro con un cuchillo afilado. Entonces, se incorporaba de golpe, despierta y húmeda de sudor a pesar de que el aire nocturno era fresco esa noche.

Sola en el dormitorio, con las rodillas dobladas contra el pecho, Lily reconoció sus pesadillas como lo que eran, lo que significaban: miedo. Miedo de encariñarse, miedo de experimentar las consecuencias que conllevaba permitirse querer a alguien.

Se preguntaba si estaba loca por pensar siquiera que podía tener una relación sin pagar el terrible precio final que eso exigía. Si uno quería bailar, después tenía que pagar al músico. Lo sabía y no quería tener nada que ver con ningún músico.

Nunca más.

Lo mejor era que siguieran siendo conocidos sin más, como hasta ese momento.

Finalmente, a las seis de la mañana, Lily renunció a sus intentos de dormir al menos una hora seguida.

Con un suspiro, se levantó. Echó un vistazo al lío de sábanas revueltas; su cama parecía haber sido declarada zona de guerra.

Pensó, con ironía, que tal vez fuera así. Excepto que no había habido vencedor.

Habitualmente, no salía del dormitorio sin hacer la cama antes, pero esa mañana la dejó como estaba. Anhelaba salir de casa.

Un poco de aire fresco tal vez le haría bien.

—Vamos a dar un paseo, Jonathan —anunció, tras ponerse unos vaqueros y un suéter fino. El perrito había insistido en dormir en el suelo del dormitorio.

Despierto en menos de un instante, el labrador, medio corrió, medio rodó escaleras abajo, y allí la esperó inquieto. Lily agarró la correa, que había dejado junto a la escalera, y la enganchó al collar. En el último momento, se acordó de hacerse con una bolsa de plástico por si acaso tenía suerte y el perro decidía hacer sus necesidades mientras estaban fuera.

Llevar a Jonathan de paseo se convirtió en otro ejercicio de paciencia. El perro corría como un loco y, de repente, se detenía para olisquear cada milímetro de suelo. Se demoraba tanto que al final Lily tenía que tirar de él, momento en el que él decidía iniciar otra carrera alocada.

Tras casi una hora de ese forcejeo y sus variantes, Lily decidió que estaba harta y quería volver a casa.

Justo antes de llegar, Jonathan se detuvo bruscamente y casi chocó con él. Iba a regañarlo por haber estado a punto de hacerla tropezar, cuando vio que estaba haciendo sus necesidades.

—Supongo que eso me libera un buen rato, ¿verdad? —dijo comprendiendo que podía bajar la guardia durante unas horas.

El labrador no expresó su opinión al respecto. Estaba demasiado ocupado investigando lo que acababa de excretar. Lily tiró de la correa antes de que se acercara demasiado.

Lo apartó a un lado para recoger la deposición, pensando que iba a costarle, y mucho, acostumbrarse al asunto de tener perro.

Lily llegó a casa justo cuando empezaba a sonar el teléfono. Abrió la puerta y consiguió llegar al aparato un segundo antes de que saltara el contestador.

—¿Hola? —contestó, dejando caer al suelo la correa de Jonathan.

—Lily, hola. Estaba preparándome para dejar un

mensaje en el contestador —dijo una voz grave, unos segundos después.

A ella se le puso la carne de gallina. La voz de Christopher por teléfono sonaba íntima y, a decir verdad, excitante. Pero eso no cambió su resolución de mantener al hombre a distancia. Si acaso, la reforzó.

—Ahora puedes dejármelo a mí —se obligó a sonar lo más alegre posible.

Al oírlo inspirar profundamente, adivinó que no iba a decirle nada bueno.

—Me temo que voy a tener que cancelar hoy... —dijo él.

Un segundo antes, Lily había intuido eso mismo y pensado que era lo mejor, justo lo que ella quería. Teniendo eso en cuenta, no sabía por qué sentía un enorme nudo de decepción en la boca del estómago.

—No sabía que tuvieras poder para hacer eso —replicó, aún procurando sonar alegre—. Cancelar todo un día —el silencio que siguió la puso nerviosa—. Perdona, solo intentaba ser graciosa. No pretendía interrumpirte mientras hablabas.

—No estás interrumpiendo, haces gala de tu sentido del humor —repuso él.

Lily casi deseó que no fuera tan comprensivo; eso podía ser fatal para ella. Al pensar que la cancelación podía deberse a otra emergencia veterinaria, Lily se sintió fatal por estar haciendo bromas.

—Y tú estás siendo muy amable —dijo, a modo de disculpa—. Lo de la cancelación no importa —añadió, para absolverlo de toda obligación—. Lo entiendo.

—¿Cómo puedes entenderlo? —preguntó Christopher—. Aún no te he dicho por qué.

En eso tenía toda la razón. Su nerviosismo la estaba haciendo saltar a conclusiones que no tenían por qué ser ciertas. Buscó algo plausible que utilizar como excusa, sin éxito.

—Estoy segura de que es por una buena razón.

—Ojalá no lo fuera —dijo él con sinceridad. Esa mañana, muy temprano, había sentido la urgencia de ir a ver a la perra de su vecino. Rhonda no había respondido como esperaba. Tras examinarla, había llegado a una conclusión—. Rhonda tiene una hemorragia interna. Tengo que volver a intervenir para cauterizar la herida y coserla de nuevo. Cuando acabe, quiero vigilarla unas horas, para asegurarme de que todo ha ido bien esta vez. Así que no podré ir a trabajar con Jonathan.

Que pensara en eso cuando tenía una emergencia como esa en sus manos, demostraba que era una persona excepcional. Lily no quería que creyera ni por un momento que se sentía molesta.

—Bueno, lo cierto es que Jonathan y yo hemos dado un paseo largo; ha decidido que no podía aguantar hasta llegar a casa para mancharlo todo, así que ha ido al baño en la calle.

—Felicidades —rio Christopher, divertido por su forma de narrar su última aventura con el perro—. Pero sabes que no basta con eso, ¿verdad? Hay que repetir el proceso muchas veces, hasta que se grabe en su cerebro. ¿Te acordaste de felicitarlo cuando acabó?

Lily apretó los labios. Sabía que había olvidado algo.

—¿Es tan importante felicitarlo? —preguntó, con la esperanza de oír que era un detalle menor.

—Sí que lo es, y me tomaré tu repuesta como un no. La siguiente vez que lo haga, hazle fiestas y dile que es un perrito fantástico. Créeme —aseguró—, funciona de maravilla.

Ella suspiró mirando al perro, que se había tumbado a sus pies, momentáneamente tranquilo.

—Me acordaré la próxima vez.

—Escucha, tengo que dejarte, pero puedes traer a Jonny mañana, de camino al trabajo, a no ser que te sientas lo bastante segura como para dejarlo en casa —matizó, para que no creyera que la estaba presionando para que dejara al perro en la clínica todo el día.

—Lo llevaré —aceptó ella rápidamente, aliviada porque no hubiera retirado la oferta. No era tan ingenua como para creer que un éxito implicara que el perrito había cambiado de hábitos para siempre—. Gracias.

—De nada. Tengo que irme —repitió. Colgó el teléfono sin darle tiempo a decir adiós.

Lily tuvo sentimientos encontrados tras colgar. No sabía si sentir alivio al saber que Christopher no iría, alivio por no estar a solas con él, o tristeza por esa misma razón.

Jonathan ladró y se dio cuenta de que ya no estaba a sus pies. El ladrido era apremiante. Tuvo la sensación de que estaba exigiendo el desayuno. Christopher, y su dilema actual, no serían parte de su vida si Jonathan no hubiera aparecido en la puerta de su casa aquella mañana.

—La vida era mucho más sencilla antes de que llegaras tú, Jonathan —dijo.

El perro siguió ladrando hasta que puso rumbo

hacia la cocina. Mientras la seguía, el ladrido adquirió otro tono, casi triunfal.

Lily se rio. ¿Quién estaba adiestrando a quién? Tenía una clara sospecha. En ese momento, el tanteo era de Jonathan uno, Lily cero. Sacó una lata de comida perruna y la abrió.

La mañana siguiente, Lily casi se pasó el desvío que tenía que hacer para llegar a la clínica. En el último momento, redujo la velocidad y giró a la derecha.

Un kilómetro después, llegaba a la ajetreada zona comercial donde se encontraba la clínica veterinaria de Christopher.

Había estado a punto de pasarse el desvío no porque tuviera poco sentido de la orientación, sino porque tenía un fuerte sentido de supervivencia. Cuanto más interactuara con el guapo y sexy veterinario, más iba a querer interactuar; eso la llevaría a crear un vínculo que, en última instancia, no deseaba.

Pero, como siempre, su horror por comportarse con cobardía, ganó la partida. Daba igual que nadie fuera a saberlo. Ella sabría que había sido cobarde, eso era lo único que importaba. Si empezaba a seguir ese rumbo, acabaría teniendo excusas para evitar otras muchas cosas.

No quería vivir así, no quería que el miedo tuviera poder sobre ella o gobernara cualquier otra faceta de su vida.

Si permitía que ocurriera una vez, se repetiría, sin duda. Y cada vez sería más fácil retroceder ante algo. Antes de que se diera cuenta, su individualidad quedaría enterrada bajo una montaña de cosas que temer y evitar por culpa de ese mismo temor.

Llegado ese punto, en vez de vivir, se estaría limitando a existir. Su madre siempre le había dicho que había que apreciar la vida y agarrarse a ella con ambas manos. No era fácil, pero sin duda merecía la pena.

Superar ese miedo a las relaciones, debido a su temor a quedarse sola de nuevo, tenía que convertirse en el primer punto de su lista de cosas por hacer. En otro caso, se estaría condenando a la soledad antes de empezar.

La recepcionista, Erika, alzó la cabeza con una sonrisa prefabricada en los labios.

—Hola —dijo. Entonces, reconoció a la mujer y su sonrisa se volvió genuina.

—Hola, el doctor Whitman dijo que quizás vendrías —salió de detrás del mostrador y centró su atención en Jonathan—. Hola, chico. ¿Has venido a pasar el día con nosotros?

—Supongo que lo traigo como huésped —dijo Lily, dándole la correa a la recepcionista.

—Técnicamente no —dijo Erika—. Si viniera como huésped, tendría que pagar. El doctor Whitman dijo que no habría cargos, así que Jonathan viene de visita —concluyó con una sonrisa cálida.

—¿Soléis recibir a muchos animales de visita? —inquirió Lily. Aunque estaba agradecida, el asunto no acababa de sonarle bien.

—Jonathan es el primero —admitió la recepcionista. Después, percibiendo que la dueña del labrador podía estar reconsiderando la idea de dejarlo allí a pasar el día, puntualizó—: No te preocupes, Jonathan estará bien. Nos encantará tener una mascota por aquí. ¿Verdad, Jonathan?

El perro respondió agitando el rabo, con tanta fuerza que golpeó en el suelo.

—No estoy preocupada.

Lo cierto era que Lily no se estaba replanteando lo de dejar allí a Jonathan. Pensaba en la posibilidad de encontrarse con Christopher. Se preguntó si ya estaba allí, y, si lo estaba, por qué no había salido.

Un momento después, decidió que era mejor que no saliera.

«Ya, como si eso fuera a cambiar cómo reaccionas ante ese hombre».

Apretó los labios y desechó la vocecita interna que insistía en que fuera lógica. Era hora de despedirse del perrito y ponerse en marcha.

Sin embargo, sus pies no estaban recibiendo el mensaje. Seguían plantados en el mismo sitio, como si se hubieran quedado pegados al suelo.

Decidió permitirse una única pregunta, después se marcharía. Sin más dilación.

—¿Cómo está Rhonda?

—¿Conoces a Rhonda? —preguntó Erika sorprendida, sin soltar la correa de Jonathan.

«Te lo tienes merecido por hablar», pensó Lily.

—No exactamente —admitió—. Pero Chris..., el doctor Whitman —corrigió—, mencionó que era la perra de su vecino y que la había atropellado un coche. Me preguntaba si estaba mejor.

Erika esbozó una sonrisa radiante.

—Oh, sí, mucho mejor. ¿Te gustaría verla?

La respuesta y la subsiguiente pregunta no salieron de boca de Erika. Las emitió el veterinario, que había salido de la zona de consultas y en ese momento estaba tras ella.

Lily se dio la vuelta para mirarlo, intentando ocultar que su corazón acababa de saltarse un par de latidos.

—Oh, no me gustaría causarte más molestias de las que ya… —al ver la expresión confusa de Christopher, se explicó—: supone dejar a Jonathan aquí.

—No molestas a nadie dejando a Jonny aquí —aseguró él. Acarició la cabeza del perro antes de empujar la puerta de vaivén que conducía a la otra zona de la clínica—. Rhonda está aquí.

Sujetó la puerta con la espalda, esperando a que ella cruzara el umbral y lo siguiera.

Lily no tuvo otra opción que hacer lo que pedía. Negarse habría sido una grosería.

Christopher la condujo al lugar donde la setter irlandés se recuperaba de la segunda operación. Estaba dormida y parecía tranquila, pero tenía los cuartos traseros envueltos en vendajes. La perra estaba en una jaula.

—¿No está apretada, ahí dentro? —preguntó Lily. Su voz sonó compasiva.

—Ahora mismo, no quiero que se mueva mucho —explicó él—. Si veo que responde bien a la cirugía y los puntos se cierran, haré que la transfieran a un corredor, antes de que mi vecino la lleve de vuelta a casa.

—¿Un corredor? —repitió Lily.

En vez de explicarlo verbalmente, Christopher agarró su mano y la condujo a otra parte de la clínica.

Había tres recintos grandes, independientes pero uno junto a otro. Los tres eran lo bastante anchos para que cualquier animal pudiera estirarse a gusto, e incluso corretear alrededor de la zona, si eso era lo quería.

Christopher, en silencio, dejó que ella absorbiera lo que veía y la razón del nombre.

—¿Estás seguro de que no te importa que deje a Jonathan aquí todo el día? —volvió a preguntar ella.

—Estoy seguro —sonrió—. Además, así tendrás un motivo para volver.

Lily no sabía por qué el hombre conseguía que se le acelerara el corazón con solo una mirada. Al fin y al cabo, no era ninguna adolescente con la cabeza en las nubes. Era una adulta que se había enfrentado sola a la vida y a la muerte. Tener palpitaciones por culpa de un hombre guapo no encajaba con la imagen que tenía de sí misma.

En ese momento, la recepcionista asomó la cabeza por la puerta. Lily notó que Jonathan ya no estaba con ella.

—Doctor, Penelope ya está aquí, para su inyección. La he puesto en la Sala 3.

—Dile a la señora Olsen que iré ahora mismo, Erika —se volvió hacia Lily—. Penelope es una chihuahua. Ponerle una inyección es todo un reto. La aguja es casi tan grande como ella. La pobre se pone a temblar en cuanto entro en la sala y me ve. Odio que los animales me tengan miedo —le confió, mientras iban hacia la puerta de vaivén. Una vez allí, se detuvo.

—Estamos abiertos hasta las seis —dijo—. Si necesitas que Jonathan se quede aquí más tiempo, me lo llevaré a casa —ofreció.

—Gracias, pero no será necesario. Tengo una jefa muy comprensiva y me dejará que salga a recoger a Jonathan —contestó ella—. Te veré antes de las seis —aseguró.

Después, Lily salió de la clínica caminando más deprisa de lo que era habitual.

Pero cuando llegó al coche y se sentó al volante, tuvo que admitir que, por muy rápido que se moviera, iba a resultarle imposible acercarse siquiera a rozar la velocidad a la que iban sus pensamientos.

Capítulo 11

LILY tenía la sensación de no haber estado nunca tan ocupada.

La empresa de catering de Theresa tenía no uno, sino dos eventos, esa tarde.

Uno de ellos era de recaudación de fondos para una organización benéfica local. Conllevaba una comida de siete platos para ciento cincuenta y ocho invitados. El otro era una celebración de menor escala. Una pedida de mano, que solo requería champán y una tarta para alrededor de treinta persona, más o menos.

Lily trabajó sin descanso desde que entró al local hasta que empaquetó cuidadosamente el último postre para enviarlo a su destino.

Inconscientemente, dejó escapar un largo suspiro de alivio. Se sentía como si llevara en pie dieciocho horas seguidas y, aunque le encantaba su trabajo, se alegró de haber terminado.

—Hoy te has superado a ti misma —dijo Theresa, mientras supervisaba la colocación de la comida en la furgoneta. Después, miró con atención a su chef de repostería—. Pareces agotada, Lily.

Hiciera lo que hiciera en su vida, Theresa era, sobre todo y ante todo, madre, con las prioridades maternales que acompañaban a ese título.

—¿Necesitas que alguien te lleve a casa, cielo? No quiero que te quedes dormida al volante. Te llevaría yo misma, pero aún no he descubierto cómo estar en dos sitios a un tiempo. Tres está por completo fuera de mi alcance, al menos de momento —dijo la mujer, con ojos chispeantes.

—Estoy bien, Theresa —le aseguró Lily. No quería que se preocupara por ella—. Además, no voy a ir directa a casa.

Theresa, que estaba ya saliendo por la puerta, para dirigirse al evento benéfico y asegurarse de que todo fuera bien, se volvió hacia ella. Era obvio que había aguijoneado su curiosidad.

—¿No? —taladró a Lily con sus brillantes ojos—. ¿Tienes una cita?

—Con el perro —respondió Lily con una risa—. Esta mañana, antes de venir, dejé a Jonathan en la clínica veterinaria.

—Oh, ¿está enfermo? —como en parte había sido idea suya unir a Lily con el cachorro, no podía evitar sentirse responsable de la situación.

—No, no, nada de eso —se apresuró a asegurar Lily—. Christopher, el doctor Whitman —corrigió—, me sugirió que dejara a Jonathan en la clínica para que estuviera bien cuidado durante mi ausencia. Era eso o arriesgarme a que creara un caos en casa; la verdad, no me gusta nada la opción de meterlo en una de esas jaulas.

Theresa ladeó la cabeza, escrutándola.

—Supongo que estás hablando del perro, no del veterinario, ¿verdad? —quiso saber.

Lily se echó a reír, lo que la relajó un montón.

—Sí, pero, para tu información, tampoco me gustaría meter al doctor Whitman en una jaula.

—Estoy segura de que le alegraría saberlo —dijo Theresa. En ese momento, el conductor hizo sonar el claxon de la furgoneta—. Bueno, tengo que irme volando. Diviértete.

—Solo voy a recoger al perro —aclaró Lily, que no le veía mucho sentido a la sugerencia.

—No hay razón para que no te diviertas haciéndolo —dijo la mujer mayor, con una sonrisa ambigua y misteriosa en el rostro, antes de salir a toda prisa.

Lily se quedó mirando la puerta, pensando que era un comentario de lo más extraño. Pero no tenía tiempo para analizarlo. Tenía un perro que recoger y solo media hora de tiempo. La clínica cerraba a las seis.

Se dijo que podía llegar en veinte minutos.

No fue así.

En circunstancias normales habría llegado a la clínica sin problemas en ese tiempo. Pero la normalidad no incluía un accidente que había involucrado a tres coches y provocado un corte de tráfico para permitir que dos ambulancias y tres grúas llegaran cuanto antes al lugar del siniestro.

Estresada y al límite de su paciencia, Lily llegó a

la Clínica Veterinaria Bedford, dieciséis minutos después de que cerrara sus puertas.

Aun así, sin perder la esperanza, Lily aparcó en el primer sitio que vio, saltó del vehículo y corrió hacia la puerta de entrada. Intentó girar el pomo, pero estaba bloqueado y no se veían luces en el interior de la clínica.

Se preguntó qué hacer. Christopher iba a pensar que había dejado al perro allí a propósito y no iba a volver a por él.

Entonces lo vio.

Había un sobre con el membrete de la cínica pegado en una esquina de la puerta. Tenía su nombre escrito con letras mayúsculas.

No perdió tiempo en despegar la cinta adhesiva y abrir el sobre. Dentro había una nota.

Lily, he tenido que cerrar. No te he localizado por teléfono, así que me llevo a Jonny a casa. Si quieres recogerlo hoy, esta es mi dirección.

Al igual que el resto de la nota, la dirección estaba escrita con letras de imprenta, aún más grande, para que no hubiera posibilidad de que tuviera problemas al leerla.

Lily se dio cuenta de que Jonathan vivía bastante cerca de ella. Si no se equivocaba, a solo dos urbanizaciones de la suya.

Sin duda, el mundo era un pañuelo.

Encendió el GPS para asegurarse de no cometer ningún error por el camino y puso rumbo hacia la dirección que indicaba la nota de Christopher.

Había asumido, tal vez por la profesión de Christopher, que viviría en una de las casas modernas que habían construido recientemente en la zona. Bedford, que había sido un pueblo pequeño, surgido alrededor de una universidad estatal, había crecido y seguía creciendo. Se había convertido en una ciudad bulliciosa que, por suerte, aún mantenía un cierto ambiente provincial.

El GPS la condujo a uno de los barrios más antiguos. Al ver la casa que concordaba con la dirección de la nota, concluyó que debía de tener los mismos años que la suya. Alrededor de treinta.

Tras la muerte de su madre, Lily había descubierto que no tenía corazón para vender la casa. La idea de que otra familia se instalara allí y lo cambiara todo era demasiado difícil de aceptar en ese momento. Allí había demasiados recuerdos para dejarlos atrás de sopetón.

El coche de Christopher estaba aparcado en la entrada, así que dejó el suyo junto a la acera. Bajó del coche y fue hacia la enorme puerta doble. En cuando pulsó el timbre, oyó ladridos.

Jonathan.

Pero un segundo después le pareció captar dos ladridos distintos, o tal vez fueran tres. Sin duda allí había al menos un perro que no era Jonathan. Se preguntó si el cachorro había aprendido a jugar con él. Eso la llevó a plantearse otras preguntas, todas relacionadas con la seguridad del enérgico perrito.

Preocupada, iba a llamar al timbre por segunda vez cuando se abrió la puerta. Christopher, tenía una mano en la puerta y con la otra sujetaba no a un perro, sino a tres. Sonrió al verla.

—Así que lo has conseguido —lo dijo como si tuviera que felicitarse por ello—. No sabía si verías la nota o no. Entra, por favor.

Lily pensó que no tendría que haber tenido que dejarle una nota; se sentía culpable por haberle ocasionado una molestia adicional. Tendría que haber llegado a la clínica a tiempo de recoger a su mascota.

—Lo siento —se apresuró a decir—. Teníamos dos eventos al mismo tiempo y luego me topé con una colisión en cadena y…

Abrumado por el torrente de palabras y por la velocidad a la que hablaba, Christopher alzó la mano para detener sus explicaciones.

—Tranquila, no importa. Me lo habría quedado esta noche si no hubieras podido venir a recogerlo por alguna razón. Intenté llamarte antes de cerrar —dijo. Las tres llamadas habían saltado directamente al buzón de voz. Normalmente, solo había una razón que justificara eso—. ¿Tienes el teléfono apagado?

—Me quedé sin batería —confesó, avergonzada. Habría sido la primera en admitir que ese no había sido uno de sus mejores días—. Anoche se me olvidó ponerlo a cargar.

—A mí me pasa lo mismo —dijo Christopher con expresión divertida.

Lily dudó de su palabra. Tenía la sensación de que había dicho eso para hacer que se sintiera mejor, y en cierto modo lo había conseguido.

—Jonathan ha estado haciéndose amigo de Leopold y Max —dijo, señalando a los dos gran daneses que estaban a los costados del perrito, como si fueran dos enormes sujetalibros—. Creo que piensan que es un juguete que les he traído de regalo.

—Espero que no piensen que es un juguete mordedor ni intenten enterrarlo en el jardín como a un hueso —bromeó Lily. Después se puso seria—. No sé cómo darte las gracias —empezó—. Excepto agarrando su correa y dejándote en paz ya mismo.

—No hace falta que corras —dijo él, recorriéndola con la mirada—. He pedido una pizza. Puedes quedarte y compartirla conmigo. Habrá más que suficiente para dos.

—¿Pizza? —repitió Lily.

—Sí —no sabía por qué ella lo miraba con expresión de incertidumbre—. Ya sabes, esa cosa redonda con salsa de tomate y queso. La gente suele añadir otros ingredientes por encima.

—Sé lo que es la pizza —miró las cajas que había amontonadas por todas partes—. ¿Vas a cenar eso porque estás ocupado empaquetando cajas para mudarte?

—No estoy empaquetando nada —dijo él—. ¿Qué te hace pensar que voy a mudarme?

—Hay cajas amontonadas por todas partes —dijo ella, señalando una de las torres de cartón—. Si no vas a mudarte, ¿qué hacen aquí todas estas cajas?

—No voy a mudarme a otro sitio. Estoy mudándome aquí. Esta es… era —corrigió— la casa de mi madre. Pensé en instalarme aquí en vez de alquilar un apartamento, hasta decidir si quiero venderla o no.

—Así que has perdido a tu madre hace poco —concluyó Lily, entendiendo muy bien lo que sentía. Había pasado por el mismo debate interno tras la muerte de su madre.

—A mí me lo parece —admitió. Como no quería confundirla por falta de datos, puntualizó—: Pero lo cierto es que fue hace casi cinco meses.

Ella recorrió la estancia con la vista. Las cajas casi hacían que sintiera claustrofobia. Si viviera allí, no podría descansar hasta guardar todo en su sitio y llevar las cajas a un contenedor de reciclaje.

—¿Cuándo te mudaste? —preguntó, curiosa.

—Hace unos tres meses —contestó él.

Lily pensó que lo decía en broma. Pero una ojeada a su rostro esculpido la convenció de que no era el caso. No entendía cómo podía soportar vivir así.

—¿Tres meses? ¿Y no has desempaquetado las cosas? —preguntó, mirándolo con fijeza.

—No todas —contestó él con vaguedad, esperando que no le pidiera más detalles.

Lo cierto era que, exceptuando algo de ropa, no había desempaquetado nada. La desidia se había apoderado de él. Si no desempaquetaba sus cosas, podía simular que en algún sitio, en otra dimensión, su vieja vida seguía intacta y, quizás, incluso su madre estuviera viva. Sabía que era un sinsentido, pero su mente no siempre funcionaba de manera lineal y lógica.

—Voy poco a poco. En realidad, no se me da nada bien desempaquetar —reconoció.

Lily entró en la siguiente habitación, que tenía un aspecto muy parecido a la que acababa de dejar.

—¿En serio? Nunca lo habría adivinado —dijo, alzando la voz para que la oyera. Cuando se reunió con él, le hizo una oferta—. ¿Qué te parecería algo de ayuda? Va mucho más rápido cuando se ocupan de desempaquetar dos personas, en vez de una.

Él no quería incomodarla y, sobre todo, no quería la compasión que veía en sus ojos.

—Gracias, pero puedo apañarme.

—Sin ánimo de ofender, Christopher, dudo que puedas. Además, en cierto modo, lo vería como una especie de pago por ocuparte de Jonathan.

En ese momento sonó el timbre.

—Espera —dijo él, yendo a abrir—. ¿Esa oferta significa que cenarás pizza conmigo? —preguntó, con la mano en el pomo.

—Sí, si hace falta sí, tomaré un trozo de pizza. Después nos pondremos manos a la obra —puntualizó.

Christopher pagó al repartidor con un billete de veinte y le dijo que se quedara con el cambio. Cerró la puerta con la espalda, sosteniendo la enorme caja con ambas manos. La pizza estaba caliente y desprendía un aroma que le hacía la boca agua.

Lily no podía dejar de mirar la caja que sujetaba.

—Es enorme —comentó, sin poder evitarlo.

Él miró la caja como si la viera por primera vez. No podía negar que era bastante grande.

—Pensé que, ya puestos, merecía la pena comprar bastante para la cena de mañana.

—Oh, no, mañana por la noche cenarás caliente —lo contradijo Lily, negando con la cabeza.

—Esto está caliente —dijo él.

—Comida caliente auténtica —recalcó ella. Como parecía resistirse a la sugerencia, que hacía con su mejor voluntad, añadió—: Ni siquiera tendrás que pensarlo. La traeré yo —le gustaba esa idea—. Así podremos comer mientras vaciamos cajas.

Él no recordaba haber accedido a que el proyecto se ampliara a dos días. Aunque le gustaba la idea de que fuera a compartir otra comida con él, no quería que se sintiera obligada a ofrecerle una especie de dos por uno.

—No tienes por qué hacer eso —protestó.

—Tú no tenías por qué ofrecerte a ocuparte de Jonathan, ni a adiestrar, a ambos, en las técnicas básicas —contraatacó ella.

Christopher comprendió que discutir con ella era fútil. Aunque no parecía testaruda, era obvio que lo era, y mucho.

—Cierto —condescendió—, pero esto… —señaló a su alrededor— es mucho más que ofrecer a una mascota un sitio donde estar.

—Son lentejas, las tomas o las dejas.

—No estoy seguro de qué quieres decir con eso —dijo él, que nunca había oído esa expresión—, pero acepto —sabía cuándo rendirse y cuando plantarse y batallar. No era el momento adecuado para la segunda opción—. Supongo que no me iría mal algo de ayuda.

—Me alegro, porque pensaba ayudarte quisieras o no —aprobó Lily, sonriente.

—¿Y cómo ibas a hacerlo? —preguntó Christopher con curiosidad—. No sabes dónde va nada.

—Cierto —concedió ella—. Pero se me da bien organizar y, además, estoy segura de que, antes o después, acabarías rindiéndote y ayudándome.

—¿Podemos comer antes? —sugirió Christopher, señalando la caja de pizza que, ya en la mesita de café, lo llamaba a voz en grito—. Al fin y al cabo, las cajas no van a irse a ningún sitio.

—Cierto, pero tampoco van a vaciarse solas —le devolvió Lily.

—¿Qué tal si llegamos a un compromiso?

Lily siempre había tenido fe en los compromisos. Además, no quería que el hombre la considerara una especie de fanática que se largaba a casa si no conseguía salirse con la suya.

—Adelante —urgió—. Te escucho.

—Primero nos comemos una porción cada uno, después empezamos —sugirió, acercando la caja hacia ella—. No sé tú, pero yo he tenido un día muy largo y me muero de hambre. Si no como algo pronto, no tendré energía ni para abrir una caja, menos aún para organizar lo que haya dentro.

Ella pensó que su día también había sido de ese estilo. Iba a decirlo, pero el rugido de su estómago lo impidió. Había trabajado toda la hora del almuerzo, paliando el hambre con un puñado de tomates cherry. Eso se digería pronto.

—Me tomaré ese ruido como un sí —dijo Christopher con una sonrisa satisfecha. Puso fin a la discusión abriendo la tapa de la caja e inhalando con fuerza. El aroma era de lo más seductor—. Ahora mismo, me huele casi tan bien como tus pastas la otra noche.

—De acuerdo, una porción por cabeza y nos pondremos a trabajar. Si me dices dónde están, iré a por platos y servilletas —ofreció.

—Gracias —Christopher se rio—. Seguramente tardaría más en explicarte dónde encontrarlos que en ir yo —iba hacia la cocina cuando se detuvo en seco al sentir un perro rozar su pierna—. Vigila la pizza. Y pon cara de mala —dijo—. Si Leonard o Max detectan el menor indicio de debilidad, simularan una pelea para distraerte y robarán la caja antes de que puedas reaccionar.

—¿Simularán una pelea? —Lily lo miró atónita. Le parecía algo increíble. Al fin y al cabo, Christopher hablaba de dos perros. Aunque no estaba familiarizada con el mundo canino, le costaba creer que los animales de cuatro patas utilizaran procesos mentales humanos.

—No lo dudes ni un segundo. A pesar de esa cara de buenos, forman un dúo muy astuto.

—Eso parece —murmuró ella.

No sabía si creer a Christopher pero, por si acaso, centró la atención en los dos grandes daneses.

Entretanto, Jonathan se había cansado de intentar atraer la atención de los dos perros, grandes y mayores que él, y se había tumbado a los pies de Lily, como una alfombra jadeante. Siguió allí incluso después de que Christopher volviera con servilletas y dos platos.

En cuanto Christopher ofreció una porción a Lily, Leopold y Max alzaron la cabeza con interés.

—Abajo, chicos —ordenó Christopher—. No estáis siendo educados con nuestra invitada —como los dos perros siguieron mirando el plato de Lily, repitió la orden, esa vez con más fuerza.

Moviéndose al unísono, ambos bajaron la cabeza, se dejaron caer al suelo y se estiraron. Segundos después, sus párpados se cerraron.

Ella habría jurado que los dos perros se habían dormido instantáneamente.

Capítulo 12

OBSERVÓ a los gran daneses unos segundos. Su respiración sonaba rítmica y pausada. La maravilló comprobar que estaban dormidos de verdad.

—Buen truco —le dijo a Christopher, impresionada por la respuesta de sus mascotas. No cabía duda: ese hombre tenía un don.

—Adiestramiento —corrigió él.

Lily supuso que podía interpretarse así. Pero tenía sentido. Habría sido muy difícil convivir con dos animales tan grandes si no estuvieran adiestrados para cumplir sus órdenes a rajatabla.

—Eso también —concedió.

—¿Quieres otro? —preguntó él.

Lily se volvió para mirarlo. No estaba segura de a qué se refería el veterinario.

—¿Otro truco de adiestramiento? —aventuró.

—No —Christopher se rio—. Otro trozo de pizza —empujó la caja hacia ella—. Has terminado el trozo que te di, pero quedan tres cuartos de pizza en la caja.

—No, gracias, ahora mismo no —tenía sitio de sobra para otra porción, pero quería empezar con la montaña de cajas que invadía la casa. El aroma de la pizza cosquilleó sus sentidos. Si no fuera tan disciplinada, se habría rendido—. Aunque me siento tentada —admitió.

—Sí, yo también —dijo Christopher recorriéndola con la mirada, más despacio de lo que podría considerarse correcto.

—Hablaba de la pizza —puntualizó ella, aceptando en silencio el halago que acababan de hacerle sus ojos.

—Lo sé. Yo también —dijo él, sin mirar ni un momento la caja de pizza.

Lily sintió una oleada de calor. Su mente fue invadida por pensamientos que no tenían nada que ver con vaciar cajas, comer pizza o adiestrar a perritos rebeldes. La forma en que la miraba hacía que se sintiera deseable; además de dar alas a la su imaginación.

«Seguro, eres tan irresistible para este hombre como la hierba gatera para un minino», se burló la vocecita que residía en su cabeza. «Enderézate y pórtate bien», ordenó la voz. Lily decidió sentar las bases que podían satisfacerlos a ambos.

—Podremos comer otro trozo de pizza después de vaciar dos cajas cada uno —dijo. Al ver la mirada irónica y dubitativa de Christopher, enmendó los términos—. Vale, una caja tú, dos yo —por si eso lo llevaba a pensar que se creía más rápida que él, se explicó—: Tengo mucha práctica en embalar y desembalar.

—¿Te has mudado muchas veces? —preguntó él, abriendo una caja grande que había junto al sofá.

Ella rio suavemente y negó con la cabeza. Seguía viviendo en la casa en la que había nacido.

—Ni siquiera una.

—Entonces, ¿por qué…?

—¿Por qué he dicho que tengo práctica? —interrumpió ella—. Porque la tengo. Empaqueto los postres antes de que los transporten a su destino, y cuando llegan allí tengo que desempaquetarlos y asegurarme de que llegan a la mesa en perfecto estado, tal y como espera el cliente que ha pagado la factura del catering. Exponer los postres para sacar el mejor partido posible a su aspecto requiere cierta delicadeza —explicó ella—. En una fiesta, nada da peor impresión que un pastel aplastado o una tarta torcida.

—Si saben tan bien como lo que he probado de tu horno, estaría dispuesto a rebañar el interior de una caja de cartón.

—Muy amable por tu parte —se rio ella—. Pero eso no cambia lo que he dicho, que puedo desempaquetar cosas con rapidez, mientras que tú pareces dispuesto a aferrarte a cualquier excusa, por vana que sea, para no tener que enfrentarte al interior de esas cajas.

—Cierto —reconoció Christopher—. Soy igual con la cesta de la compra, por eso no tengo nada en casa y me llaman por mi nombre en la mayoría de los sitios de comida para llevar de la zona.

—Nunca habría pensado que eras de esos que lo dejan todo para mañana —Lily se remangó y se concentró en la caja que tenía más cerca.

Muy al contrario, habría dicho que Christopher era de los que se enfrentaban a cualquier asunto sin la menor dilación. A veces las apariencias engañaban, era innegable.

—Supongo que eso me convierte en un hombre misterioso, alguien que es imposible leer como un libro abierto —dijo él, con expresión gozosa.

—En mi opinión, te convierte en un hombre que necesita que le den un empujón —lo corrigió ella—. Necesito una navaja o, si no tienes, un cuchillo —dijo. Había intentado abrir la caja a tirones, sin éxito. Si sigo haciéndolo con las manos, acabaré rompiéndome todas las uñas.

—No querría que pasaras por eso —dijo él, ya de camino a la cocina. Sacó un cuchillo de uno de los cajones y fue a dárselo.

—Veo que sí has guardado algunas cosas —dijo ella, señalando los utensilios que había en el cajón.

Él miró por encima del hombro y, al ver que no lo había cerrado bien, fue a hacerlo.

—Aunque me gustaría quedar bien, lo cierto es que no —rezongó él.

—El cajón está lleno de utensilios útiles. No es un cajón en el que hayas echado cualquier cosa que te encontrabas por ahí. Eso se llama organización.

—No, eso se llama madre. Eran sus cosas. Tras su muerte, fue incapaz de tirarlas.

Además, aunque no lo dijo, las de ella eran de mejor calidad que las que él había comprado mientras estaba en la universidad. Cuando su relación con Irene había acabado de repente, había pedido a los del camión de la mudanza que metieran todo en cajas y lo llevaran a la casa de su madre, en California.

Ella empezó a entender lo que le ocurría. Pero, a esas alturas, se trataba de un asunto práctico; no podía tener todo duplicado.

—Siempre hay asociaciones benéficas a las que donar ciertas cosas —dijo con gentileza.

—Pronto..., pero aún no —Christopher sabía que tenía razón.

—La verdad, es que entiendo cómo te sientes —Lily no quería que pensara que intentaba presionarlo—. Cuando mi madre murió, tampoco me deshice de nada suyo. Pero con el paso del tiempo decidí que estaba siendo egoísta. Mi madre tenía muchas cosas bonitas en buen estado. Había, y sigue habiendo, muchas mujeres necesitadas que apreciarían un par de zapatos, o un vestido, que les levantará el ánimo. A veces, algo tan simple ayuda a ver la vida de forma más positiva.

Lily siguió hablando mientras vaciaba metódicamente la primera caja y organizaba su contenido en la mesita de café y en el suelo.

—A mi madre le gustaba ayudar a la gente, incluso cuando ella apenas tenía nada. Sé que habría querido que regalara sus cosas, así que elegí algunas especiales, cosas que me la recordaban de verdad, y distribuí el resto entre distintas asociaciones benéficas. Pero tardé mucho tiempo en poder hacerlo —recalcó—. Así que entiendo exactamente lo que sientes.

Lily estaba llegando al final de la caja y se sintió obligada a comentar lo que había descubierto en el proceso de vaciarla.

—Para ser un hombre al que no le gusta desempaquetar, la verdad es que empaquetas de maravilla.

Christopher se planteó dejar pasar el comentario, aceptándolo como un cumplido. Pero eso habría equivalido a mentir; como poco, daría pie a que ella se hiciera una idea equivocada. No podía permitirlo, sobre todo dado el esfuerzo que estaba haciendo por ayudarlo, pero también porque empezaba a plantearse la posibilidad de iniciar una relación con esa mujer tan especial.

—Yo no —dijo. Ella lo miró con sorpresa—. Contraté a una empresa de mudanzas que se ocupó de todo. Por desgracia, aunque fueron muy eficaces llenando cajas, no conseguí sobornarlos para que las vaciaran una vez en su destino.

—¿De verdad intentaste sobornarlos? —inquirió ella, intentando no reírse de él.

—No, pero tendría que haberlo hecho. La verdad es que no creí que lo retrasaría tanto tiempo. Pero cada día encuentro una razón para no empezar, y a Leopold y Max no parece molestarlos —añadió, para repartir un poco la culpa—. De hecho, creo que les gusta tener cajas por toda la casa. Para ellos, es como un laberíntico gimnasio privado.

Esa vez, Lily no pudo controlar la risa.

—Sin ánimo de ofender, no creo que a los perros le importe un pimiento este gimnasio laberíntico. En cualquier caso, aunque les guste, tendrán que adaptarse —dijo, sin dar lugar a discusión.

Dejó la caja ya vacía a un lado. Pensaba llevarla al contenedor de reciclaje más tarde.

—¿Me estás diciendo que pretendes quedarte aquí hasta que todas estas cajas estén vacías, dobladas y listas para reciclar? —Christopher la miró con incertidumbre.

Lily no habría sabido decir si estaba sorprendido o si le desagradaba la idea de que pasara tanto tiempo allí.

—No. Pero pienso seguir viniendo hasta que lo estén.

—¿Por qué ibas a hacer eso? —Christopher se dejó llevar por la curiosidad. Ninguno de sus viejos amigos del instituto se había ofrecido a ayudarle a conquistar ese reino de cartón.

—Considéralo pagar un favor con otro —repuso ella sin el menor titubeo—. Además, mi madre me enseñó a no dejar nunca algo a medias. El trabajo acaba cuando queda acabado —recitó, como si fuera un mantra.

—Eso parece salido del manual de Yogi Berra —dijo él, divertido, refiriéndose a un famoso jugador de los Yankees.

La sonrisa de Lily le confirmó que estaba familiarizada con la historia del béisbol. Una cosa más que tenían en común.

—Un hombre sabio, Yogi Berra —comentó Lily sonriente, volviendo al trabajo.

Al final de la velada, habían conseguido vaciar cinco cajas y guardado el contenido de tres, además de comerse casi toda la pizza. Solo quedaban dos porciones, que Christopher guardó para el desayuno del día siguiente.

Cansada, Lily rotó los hombros para soltarlos un poco.

—Bueno, mañana madrugo —le dijo a Christopher—, así que será mejor que me vaya.

Él quería pedirle que se quedara un rato más. No para desempaquetar, sino para hablar, para estar juntos.

Le gustaba la compañía de Lily, le gustaba su sentido del humor y también su determinación. Le gustaba el modo en que su presencia parecía llenar la casa más que las torres de cajas que se había empeñado en ayudarlo a vaciar.

Pero pedirle que se quedara cuando tenía que madrugar habría sido egoísta por su parte. Así que se limitó a darle las gracias por su ayuda mientras la acompañaba, con Jonathan, hasta la puerta.

—La verdad, esta ha sido una de las tardes más especiales de mi vida —confesó—. He disfrutado.

—Yo también —contestó Lily, que se había perdido en esa sonrisa con hoyuelos, que parecía invadir cada rincón de su ser.

Él necesitaba asegurarse de que, a pesar de lo que había dicho, el trabajo de ayudarlo con sus cosas no iba a terminar asustándola hasta el punto de alejarla de él.

—¿Llevarás a Jonny a la clínica mañana? —preguntó.

—Me gustaría, pero tengo que estar en el trabajo a las siete —respondió ella, que sabía que la clínica no abría hasta las ocho.

—Es curioso, yo también —dijo él. Si Lily necesitaba dejar el perro a las siete, la estaría esperando. De hecho, deseaba hacerlo por ella.

—No es cierto —refutó ella, notando que mentía. No quería que se sintiera obligado a ayudarla aún más. Ya había hecho bastante.

—No está nada bien llamar mentiroso al veterinario de tu mascota —estrechó los ojos y simuló mirarla con reprobación.

Ella tuvo la sensación de que su corazón estaba sufriendo un asedio. Sonrió y movió la cabeza.

—No te estoy llamando mentiroso… —hizo una mueca traviesa—. ¿Te parecería más apropiado si dijera que estiras la verdad?

—Me lo pensaré —dijo él—. Ahora, vete a casa a dormir —añadió con voz cariñosa.

Ese era el plan de Lily. Que funcionara o no estaba por ver.

—Gracias por la pizza —le dijo.

—Gracias por la ayuda —le devolvió él—. Y por esa patada en el trasero.

—No ha sido una patada, solo un empujoncito —corrigió ella con cortesía.

Riendo, él inclinó la cabeza, como si se diera por vencido. Ya en la puerta, se detuvo, perdido en un debate mental. Decidió dejar la decisión en manos de Lily, en cierto modo.

—Lily…

—¿Sí? —algo en la forma de decir su nombre había puesto a Lily en estado de alerta.

—¿Te molestaría que te besara? —preguntó él, mirándola a los ojos.

—De hecho —admitió ella—, creo que me molestaría que no lo hicieras.

—No querría hacer eso por nada del mundo —confesó Christopher, tomando su rostro entre las manos. Un momento después, la besó.

El beso empezó siendo suave, cortés, pero de inmediato adquirió vida propia, escalando a alturas impensables. Con la intensidad, llegaron multitud de emociones.

Ella no recordaba haber rodeado el cuello de Christopher con los brazos, ni tampoco, haber inclinado su cuerpo hacia el de él. Lo que sí recordaba era el salvaje estallido de energía que pareció surgir de la nada y envolverla mientras duró el apasionado beso.

La boca de Lily sabía a todas las frutas prohibidas con las que Christopher había fantaseado en su vida. Le hacía desear más.

Le hacía desearla a ella.

Se esforzó por controlarse, por llegar a un límite y no ir más allá. No fue fácil, pero Lily lo había ayudado, le había proporcionado la primera velada agradable desde su ruptura con Irene y había conseguido que volviera a sentirse humano tras el varapalo que esa ruptura había supuesto para su vida y su orgullo; no podía recompensarla por todo eso imponiéndose a ella y seduciéndola.

Así que, haciendo gala de un control digno de un superhombre, Christopher se obligó a apartarse de lo que podría haber sido suyo con un par de movimientos bien hechos.

Se recordó que lo importante era la honestidad, independientemente de lo que su cuerpo intentara dictarle a su mente. Inspiró profundamente un par de veces antes de hablar.

—Gracias otra vez —murmuró.

Ella sabía que no le estaba dando las gracias por ayudarlo a vaciar unas cuantas cajas. Intentó controlar el rubor que empezaba a teñir sus mejillas. Pero en ese tipo de cuestiones, su cuerpo era quien dominaba la situación.

Dejó pasar un segundo y se aclaró la garganta.

—De nada —murmuró. Después, se fue rápidamente con el perrito.

Lily no habría sabido decir cuánto había tardado su corazón en recuperar un ritmo normal. Solo sabía que había latido sin control todo el camino de vuelta a casa, e incluso unos minutos después de entrar.

También era consciente del resplandor, cálido y alegre que se había apoderado de ella.

Lily estaba segura de haber iniciado el primer tramo del viaje que llevaría a un afecto genuino. Pero se negaba rotundamente a utilizar esa palabra que empezaba con «a», para definir lo que podía llegar a conseguir; tenía la sensación que eso podría gafar lo que estaba ocurriendo.

En el fondo, aun que no era de naturaleza supersticiosa, temía que pensar en enamorarse de ese hombre diera al traste con la posibilidad de un «felices para siempre» al final del camino.

Además, apenas sabía nada de él, excepto que odiaba desempaquetar y que tenía una sonrisa devastadora. Lily se dijo que lo más inteligente y seguro sería buscarle a Jonathan otro veterinario.

Si optaba por eso, evitaría involucrarse con el hombre cuya casa acababa de dejar, se libraría de tentaciones que la llevaran a seguir el camino equivocado.

«¿A quién intentas engañar?», se recriminó.

Nunca había sido una persona que optara automáticamente por hacer «lo más inteligente». Sobre todo si ese más inteligente llevaba a más de lo mismo: más aburrimiento, más seguridad.

Esa opción implicaba que no habría nada que diera

luz a su vida. Nada que le hiciera sentir un cosquilleo en la punta de los dedos o diera alas a su imaginación, llevándola a lugares que nunca habría admitido anhelar en su interior.

—Si sigues torturándote así, no pegarás ojo, por más que lo intentes. Apaga el cerebro, ponte el pijama y duerme. O acabarás cayéndote de puro agotamiento.

Pero era más fácil decirlo que hacerlo.

Sin duda, podía ponerse el pijama y meterse en la cama. Lo que rayaba en lo imposible era la parte relativa a apagar su cerebro.

Su cerebro, por lo visto, estaba empeñado revivir una y otra vez ese último beso, repasando cada detalle y llevándolo al límite.

Estaba condenada y lo sabía.

Resignada, Lily subió la escalera que llevaba al dormitorio, seguida por su sombra negra de cuatro patas, que ladraba alegremente.

Capítulo 13

CHRISTOPHER había sabido que notaría la diferencia, pero hasta que el trabajo no estuvo casi acabado, no se dio cuenta de la enormidad de esa diferencia.

Cada vez que miraba a su alrededor, el espacio volvía a sorprenderlo. Sin ser plenamente consciente de ello, se había acostumbrado a sortear las torres de cajas, aceptando el desorden como algo dado. La insistencia de Lily en ayudarlo a vaciar las innumerables cajas, grandes y pequeñas, que llevaban meses allí, había conseguido que la casa recuperara gradualmente el aspecto que había tenido durante su infancia. Lily no solo lo había ayudado a organizar y recoger el desorden físico, sino que al hacerlo, también había conseguido que limpiara parte de su desorden emocional.

Sin cajas que esquivar a todas horas, Christopher parecía haber recuperado la capacidad de pensar con claridad, y eso por fin le permitía avanzar en su vida privada.

Era casi como si su cerebro hubiera sido un disco duro desfragmentado. Era Lily quien había aportado esa analogía cuando le comentó que se sentía menos oprimido y le costaba menos pensar. Sin duda, Lily había dado en el clavo.

Mientras trabajaban juntos, había descubierto que Lily tenía una asombrosa habilidad para simplificar las cosas. Parecía ser capaz de leer hasta en lo más profundo de su alma.

Sin comentarlo ni ser plenamente conscientes de ello, Lily y él se habían asentado en una rutina beneficiosa para ambos. Entre semana, Lily dejaba a Jonathan en la clínica, por la tarde iba a recogerlo y seguía a Christopher a su casa. Una vez allí, vaciaban y desmontaban al menos una caja, si no más.

También cenaban juntos, normalmente lo que ella preparaba allí mismo, en su cocina. Parecía haberlo convertido en un hábito y, aunque Christopher seguía insistiendo en que no tenía por qué hacerlo, no ocultaba cuánto disfrutaba con cada comida que ella preparaba.

A pesar de cuánto apreciaba su ayuda con la organización de la casa y de cuánto lo deleitaban las muestras de su destreza culinaria, lo que más le gustaba de todo eran las conversaciones que mantenían. Cada tarde, mientras trabajaban y comían, hablaban e iban conociéndose cada vez mejor.

Todo ello hacía que Christopher esperara con anhelo que llegara la tarde.

Desde luego, le encantaba ser veterinario y poder mejorar la vida de casi todos los animales que llevaban a su clínica. Tenía la suerte de tratar a una gran variedad de mascotas: ratones, hámsteres, conejos, perros, gatos y pájaros, así como otra variedad mucho menos habituales. Siempre había querido ser veterinario, y no sabía qué habría hecho con su vida si no hubiera conseguido su objetivo.

Pero Lily representaba otro camino en su vida, un camino que en cierto modo le resultaba familiar, pero era lo bastante distinto para parecerle completamente nuevo.

Rápidamente, se había convertido en parte integral de su vida. Estar con ella hacía que se sintiera vivo, con un sinfín de posibilidades abiertas ante sí. Era como volver a la vida después de haber asistido a su propio funeral. Nunca había pensado que podría volver a sentirse así, Lily era la única responsable.

—Casi hemos acabado, ¿sabes? —dijo Lily una tarde, diciendo lo obvio. Aun así, le gustaba decirlo—. Solo quedan unas pocas cajas. Cuando desaparezcan, ya no tendré por qué venir cada noche, después del trabajo —contuvo el aliento, esperando a ver si Christopher expresaba tristeza o alivio tras oír sus palabras.

Su respuesta la complació, además de tranquilizarla.

—Podría buscar algunas cajas más, robarlas del supermercado o de la mensajería, o de la oficina de correos de Murphy, si todo lo demás falla.

Ella se rio al imaginárselo robando cajas por la ciudad. No cuadraba nada con su personalidad, era honesto de pies a cabeza.

—No sería lo mismo —dijo.

Él dejó de trabajar y miró a Lily con seriedad. Se había convertido en parte de su vida tan rápidamente, que solo pensarlo lo dejaba sin aire.

Igual que hacía ella.

—Lo haría si con eso pudiera conseguir que siguieras viniendo cada tarde. Además, aunque pueda parecer egoísta, me he hecho adicto a tu comida. Me descubro pensando en ella cuando se acerca el final de la jornada —admitió él—. No querrás privarme de eso, ¿verdad?

Lily abandonó la caja que estaba a punto de terminar de vaciar y lo miró con un atisbo de sonrisa complacida jugueteando en sus labios.

—A ver si te he entendido bien. Quieres que siga viniendo para que continúe vaciando tus cajas y cocinándote la cena, ¿es eso?

—Lo que quiero —se acercó a ella y le quitó el libro que acababa de sacar de la caja— es seguir teniéndote a ti cada tarde.

Mirándola a los ojos, Christopher dejó caer el libro al suelo.

Era consciente de que arriesgaba mucho, se estaba lanzando al vacío sin red de seguridad. Pero si no decía algo correría el riesgo de perderla, de ver cómo se alejaba de su vida.

Sabía que se encontraban ante una encrucijada. Aunque habían compartido momentos intensos y algún que otro beso, cada uno de ellos había vuelto siempre a su rincón, respetando las barreras y límites del otro. No habían cruzado ninguna línea, dejando que las cosas siguieran como estaban.

No arriesgarse, suponía no ganar.

O, en ese caso en concreto, no arriesgarse podía implicar perderlo todo.

Christopher no quería perderlo todo.

—Seguiría pasando por la clínica para recoger a Jonathan —le recordó Lily—. Eso si, una vez que acabemos con esto, sigues dispuesto a que lo deje allí por la mañana.

—Claro, eso no hace falta ni decirlo —aseguró él—. Jonathan ladró, como si supiera que hablaban de él, pero Christopher siguió centrado en ella—. A todo el mundo le gusta tener a Jonny por allí. Pero sigue dejando gran parte de mi tarde vacía. No estoy seguro de saber cómo manejar eso —su voz se había convertido casi en un susurro.

Mientras lo escuchaba, prestándole toda su atención, ese susurro pareció cosquillear sus labios, seduciéndola, excitando cada terminación nerviosa de su cuerpo.

—¿Por qué no hablamos de eso después? —sugirió Christopher, muy cerca de sus labios.

—Sé lo que estás haciendo —a Lily le costaba pensar a derechas—. Intentas impedir que vacíe las últimas cajas.

Vio cómo la boca de él se curvaba y sintió su sonrisa acariciarle el alma.

—Siempre he dicho que eras una dama muy lista —contestó Christopher.

—Y tú eres muy tramposo. Por suerte, hace mucho que sé distinguir una trampa —bromeó ella.

—Suerte para ti, no tanto para mí —replicó él con voz grave.

Lily pensó que seguía jugando con el as de la baraja. Seguía pudiendo convertirla en un charquito caliente y manejable. Además acababa de descubrir otra cosa. No solo era difícil resistirse a Christopher. Cuando el hombre se ponía en marcha, la resistencia era poco menos que imposible.

Aun así, hizo cuanto pudo por intentarlo.

No fue suficiente.

Aceptando la excusa que Christopher le había brindado, olvidó por completo la caja que estaba vaciando, dejándola para otro día. No estaba en condiciones de seguir con eso.

Esa noche, de repente, había adquirido un nuevo significado. Por fin iba a rendirse a las exigencias que habían ido creciendo en su interior, las cuales vibraban como cuerdas de violín.

Se había dado interminables charlas en contra de dar el paso que estaba contemplando. Listaba mentalmente las razones por las que se arrepentiría de cruzar esa última línea en la arena. La línea que separaba el flirteo de algo mucho más serio.

Y posiblemente mucho más satisfactorio.

Compromiso, sí, y tal vez incluso amor, esperaban al otro lado de esa línea.

Lily se recordó que el que ella estuviera dispuesta a cruzarla no implicaba necesariamente que él también quisiera hacerlo.

Incluso si Christopher decía que quería cruzarla y se mostraba dispuesto a asumir ambas cosas, compromiso y amor, eso no lo convertiría en realidad. No era tan ingenua como para creer que el que alguien dijera algo implicase que pudiera ser verdad.

Ahí era donde se haría necesario tener fe.

Eso lo sabía. Era pura lógica. Pero en ese momento la lógica había quedado abandonada en un lugar muy lejano. Tendría que lidiar con ese tema después, de una forma u otra.

En ese instante, lo que Lily deseaba, lo que necesitaba, era que él hiciese que se sintiera querida, que sintiera que era especial para él.

Daba igual que fuera o no verdad. Simularía que lo era.

Y quizás, solo quizás, si lo deseaba con la suficiente fuerza, sería verdad. Pero de nuevo, esa era una batalla que tendría que lidiar después.

En ese momento, cada fibra de su cuerpo deseaba hacer el amor con Christopher.

Así que, en vez de resistirse, o apartarse un poco, buscando otra excusa que impidiera lo que ambos deseaban, Lily siguió en sus brazos, besándolo y dejándose besar. Eso derrumbó cada una de las barreras, corazas y paredes que cada uno de ellos había erigido para proteger la más frágil de sus posesiones: su corazón.

Christopher se dio cuenta de que algo había cambiado. Ella no lo besaba con sentimiento, lo besaba con pasión. Sentía un fuego prendiendo entre ellos, creciendo en intensidad cada segundo.

La besó una y otra vez, y eso solo consiguió hacerle desear más. Le hizo el amor con la boca, primero a sus labios, luego a su cuello y después al tierno canal que habitaba entre sus senos.

Su gemido solo sirvió para encenderlo más. Hizo que incrementara el ritmo, provocando un auténtico motín en sus venas.

Christopher tenía miedo de dejarse llevar, y también de no hacerlo. Contener tanta pasión haría que se autodestruyera antes de que acabara la velada.

Ella pasó las manos por su pecho, poseyéndolo incluso antes de introducir los dedos bajo su camisa y trazar las curvas de sus pectorales, tensándolo al tiempo que lo convertía en un amasijo de llamas y deseos.

Tuvo que contenerse para no quitarle la ropa. Pero sintió las manos rápidas y urgentes de Lily prácticamente arrancándole la camisa y los pantalones.

Fue la proverbial última gota que desató a la criatura pasional que encerraba en su interior.

Sus manos, fuertes y capaces, a la par que suaves, empezaron a tocar, acariciar, poseer.

A adorarla.

No parecía posible cansarse de ella. Tenía la sensación de estar alimentándose de su suavidad; alimentándose de su súbito frenesí, como si fuera la razón de su existencia.

Como si Lily, y solo Lily, pudiera sustentar su fuerza vital.

Christopher la estaba volviendo loca, tocando su cuerpo como si fuera un instrumento musical que solo pudiera sonar para él, porque solo él sabía cómo desbloquear la melodía que existía bajo su piel.

Lily anhelaba sentir su contacto, sentirlo junto a su cuerpo. Arqueó la espalda, apretándose contra él mientras el fuego en su interior alcanzaba cimas cada vez más altas.

Había tenido pocos amantes y sabía que no andaba sobrada de experiencia, pero había creído sinceramente que le había ido bien. Solo en ese momento empezaba a comprender que no había hecho más que mirar por el cristal, consciente de la existencia de ciertas sensaciones, pero sin llegar a sentirlas de verdad.

Desde luego, no como las estaba sintiendo.

Sentía y respondía. Hacía cosas que nunca se había planteado hacer antes de esa noche.

De repente, quería dar placer a ese hombre que había llevado la luz a su mundo. Quería devolverle parte de lo que él le había dado tan generosamente.

Sintiendo la caricia de su aliento en las zonas más sensibles de la piel, Lily se arqueó y rodeó su torso con las piernas, tentándolo, urgiéndolo a cruzar la línea final.

A unirse a ella.

Christopher, sintiendo su cuerpo moverse bajo él, descubrió que no podía contenerse más. Su objetivo había sido llevarla al clímax varias veces antes de reclamar lo irresistible, pero su fuerza tenía un límite. Podía aguantar un tiempo y no más.

Había llegado el momento.

Con un gemido que sonó a rendición, Christopher procedió a tomar lo que ella le ofrecía. Con un movimiento seductor, Lily se abrió a él.

Sin dejar de besar su boca, la penetró.

Su delicioso gemido casi lo llevó al límite. En el último momento, hizo lo posible por ser gentil, por contenerse antes de que, a pesar de sus buenas intenciones, el control le fuera arrebatado.

Cuanto más se movía ella, más la deseaba.

Ese deseo se convirtió en la única realidad.

Con el corazón latiendo a marchas forzadas, Christopher incrementó el ritmo hasta que ambos estuvieron a punto de volverse locos.

Al final, justo antes de la explosión que los envolvería con una llamarada antes de iniciar el inevitable descenso, supo con certeza que le había sido concedido todo aquello que había deseado a lo largo de su vida.

El sentimiento era tan intenso, que la apretó entre sus brazos hasta que le pareció que se fundía con ella.

Sin embargo, por algún milagro, siguieron siendo dos seres distintos, si bien agotados. Dos personas que se aferraban la una a la otra, creando su propia balsa humana en el mar revuelto de la realidad que, gradualmente, reclamaba su atención.

—Tengo muy claro que voy a secuestrar un camión de la mudanza y hacer que descargue sus cajas aquí —susurró Christopher cuando fue capaz de retener el suficiente aire como para formular una frase. Después la besó en la frente.

Ella ser rio, y el cosquilleo de su aliento consiguió que Christopher se excitara de nuevo. No entendía cómo podía ser posible, pero la magia de esa mujer parecía capaz de conseguirlo todo.

Después de lo que le había hecho Irene, había estado seguro de que nunca volvería a sentir, que nunca querría volver a sentir. Sin embargo, allí estaba, sintiendo y dando gracias por ello.

—Creo —dijo ella, apoyando la cabeza en su pecho— que hemos superado esa fase, la de necesitar cajas como excusa.

Christopher consiguió besarle la parte superior de la cabeza antes de derrumbarse sobre la cama, casi exhausto por el esfuerzo, pero increíblemente feliz.

—No puedo discutir eso —dijo con voz ronca—. Incluso aunque quisiera —añadió—, no puedo discutir. No tengo suficiente aire en los pulmones para discutir y ganar.

—Entonces, gano yo por abandono —Lily sonrió contra su pecho.

Ambos se echaron a reír por lo absurdo que había sonado el comentario. Y reían sobre todo porque oír sus propias risas era agradable y satisfactorio, además de relajante.

Christopher la apretó entre sus brazos.

Sentir el corazón de Lily latiendo junto al suyo le parecía la respuesta a todo lo que era importante en su vida.

Sabía que nunca había sido más feliz que en ese momento.

Capítulo 14

LILY no tardó en llegar a la conclusión de que no existía una manera grácil de pasar de hacer el amor con un hombre hasta perder el sentido, a ponerse la ropa y volver al mundo real que había abandonado temporalmente.

Habría sido mucho más fácil vestirse y marcharse si Christopher hubiera estado dormido. Pero el hombre que había iluminado su mundo, con fuegos artificiales incluidos, estaba tumbado a su lado y más que despierto.

Aunque hubiera estado dormido, quedaba la cuestión de conseguir salir silenciosamente cuando tenía que llevarse a Jonathan y sortear a Leopold y Mac, los dos gran daneses de Christopher. En las últimas semanas se había hecho amiga de los dos, así que confiaba en que no empezarían a ladrar en cuanto se moviera. Pero tenía la sensación de que no se transformarían en dóciles estatuas silenciosas cuando la vieran salir de la casa con Jonathan en los brazos.

No tuvo oportunidad de comprobar si tenía razón o no.

—¿Vas a algún sitio? —preguntó Christopher cuando intentó sentarse en el sofá, dispuesta a iniciar la búsqueda de su ropa, toda su ropa.

Él rodeó su cintura con un brazo y la sujetó mientras esperaba su respuesta.

—Pensaba terminar de recoger la salita, doblar las cajas vacías, cosas de esas —le dijo con expresión inocente.

—¿Desnuda? —Christopher sonó divertido e intrigado a un tiempo—. Me alegro de no haber dado una cabezadita como tú. Esto tengo que verlo.

—Yo no me he dado ninguna cabezadita —protestó ella, mirándolo por encima del hombro.

—Sí, la has dado, pero no importa. Fueron solo unos minutos —la atrajo hacia sí, sin soltar su cintura—. Además, estás muy mona cuando duermes. Tu cara se vuelve blandita.

—¿Comparada con qué? —Lily giró el cuerpo hacia él y escrutó su rostro—. ¿Acaso la tengo dura como una piedra cuando estoy despierta?

—No dura como una piedra, digamos que… en guardia —concluyó él, tras pensárselo—. Ya sabes, como un vigilante nocturno en un museo de arte, que teme que alguien robe un cuadro si se descuida un segundo.

—No es una imagen muy romántica —Lily arrugó la frente.

—Pero sí certera —puntualizó él. No tenía intención de insultarla o asustarla. Solo le comentaba lo que había observado—. No tienes por qué irte, ya lo sabes.

«Oh, sí. No puedo pensar cuando estoy contigo, sobre todo después de lo ocurrido».

—Lo sé —dijo en voz alta—. Pero estoy pensando que podría no ser malo poner un poco de distancia entre nosotros, para que recupere el sentido.

Él no iba a obligarla a quedarse en contra de su voluntad, pero tampoco iba a rendirse sin más.

—Un GPS te proporciona la latitud y la longitud exactas, pero no puede hacer que te sientas segura. Eso solo ocurre entre las personas —le dijo a Lily, retirándole el pelo de la cara.

—No hagas eso —Lily, tensa, apartó la cabeza—. No puedo pensar cuando me tocas.

—Bien, tenía la esperanza de que dijeras eso.

Volviendo a tumbarse en el sofá, Christopher tiró de ella. Sin darle tiempo a protestar, rozó sus labios con los suyos.

En un momento, ella perdió el deseo de hablar. Había reavivado el fuego y empezaron a hacer el amor otra vez.

Seguía habiendo unas cuantas cajas por la casa. Era una gran mejora desde la primera vez que había entrado allí, pero que todavía quedara alguna la molestaba.

Cada vez que pensaba que iban a dedicar la tarde a librarse de ellas, ocurría algo. La primera vez había sido otra operación de urgencias, en un perro de raza mixta que habían dejado a la puerta del refugio para animales. El pobre perro había estado más muerto que vivo y Christopher era uno de los veterinarios que ofrecía sus servicios voluntarios en el refugio. Había sido incapaz de decir que no cuando lo llamaron. Tras echar un vistazo a la foto del pobre animal, que le habían enviado al móvil, Lily estuvo de acuerdo con él.

Había insistido en acompañarlo para ayudar en lo que pudiera. Como ocurría a veces, había hecho pastas extras para el evento que el catering de Theresa cubría esa noche, así que Lily las llevó para compartirlas con Christopher y el resto de los voluntarios que estaban en el refugio.

Al final, la operación había sido un éxito, y también las pastas.

—Creo que quieren adoptarte de forma permanente —le dijo él a Lily cuando salieron del refugio, varias horas después. Sonrió—. Esas pastas que trajiste fueron todo un éxito. Gracias.

—¿Por qué? —preguntó ella con incertidumbre.

—Por acompañarme. Por ser tan comprensiva. Por ser tú —la abrazó, algo que se había acostumbrado a hacer a menudo—. Es bastante tarde, pero podemos acurrucarnos ante la televisión y no hacerle el menor caso. Puedo pedir algo para cenar.

—Necesitas descansar —apuntó Lily, sonriente.

—¿Qué te hace pensar que no descansaré? —inquirió él, depositando un beso en su coronilla.

—Empiezo a conocerte —respondió ella, divertida.

—Maldición, descubierto otra vez. Bueno, te compensaré mañana —prometió.

Ella hizo una pausa, después echó la cabeza hacia atrás, agarró la pechera de su camisa y tiró suavemente para hacerlo bajar a su altura. Presionó los labios contra los suyos, besándolo con sentimiento. Se apartó antes de que uno de ellos se dejara llevar por la pasión.

—No tienes nada que compensar. Me gusta verte acudir al rescate. Eres como un caballero de brillante armadura, excepto que, en vez de una lanza, enarbolas un bisturí —abrió la puerta trasera del coche y, de inmediato, Jonathan subió de un salto—. Ahora, vete a casa.

—Sí, señora —respondió él, obediente—. Mañana —dijo.

—Mañana —repitió ella.

Ella había creído que al día siguiente retomarían el ritmo habitual; pasarían la tarde en casa de él, vaciando las últimas cajas que quedaban arriba, en el dormitorio. Ella prepararía algo y cenarían juntos.

Pero cuando Christopher cerró la clínica, la informó de que tenía una sorpresa para ella.

—¿Qué tipo de sorpresa? —le preguntó, suspicaz.

—Ya lo verás cuando lleguemos allí —respondió él con voz misteriosa.

—¿Vamos a algún sitio?

—Buena deducción —aplaudió él.

—¿No deberíamos llevar a Jonathan a casa antes?

—No. Viene con nosotros.

—Entonces, ¿no vamos a cenar? —era lo primero que se le había ocurrido como posible sorpresa.

En vez de contestar, él sonrió y le pidió que lo siguiera.

Lily estaba intrigada. Había conseguido capturar su atención por completo.

—Esto es un restaurante —comentó cuando, quince minutos después, aparcó junto al coche de Christopher y bajó del suyo. Estaban ante un edificio cuadrado de una planta que, obviamente era su destino.

—Sí —confirmó él, risueño.

—No podemos dejar a Jonathan en el coche mientras comemos.

—No lo haremos —dijo él, agarrando la correa del perro.

—Pero…

—Peluche es un restaurante en el que la gente puede cenar con sus mascotas —dijo él—. Pensé que podría gustarte.

A Lily, más que gustarle, le encantó, y no dejó de decirlo durante la cena y también cuando llegaron a casa de él.

—¿Cómo lo encontraste? —le preguntó.

—Uno de mis clientes lo abrió hace poco. Me pareció una idea acorde con los tiempos. Soy uno de los inversores —confesó él.

—¿En serio? —la idea la excitaba, igual que hacía el hombre, que en ese momento deslizaba la punta de los dedos por su cuello.

—En serio —confirmó—. Nunca le miento a una mujer bella.

—Soy la única mujer que hay aquí.

—¿Andas en busca de cumplidos? —rio él.

—¿Quién, yo? —se llevó la mano al pecho con expresión de sorpresa.

—Tú —Christopher mordisqueó su labio inferior.

Eso puso punto final a la conversación durante un largo rato.

—¿Quién es? —preguntó Lily, sacando una foto enmarcada de la última caja a medio vaciar que quedaba en el dormitorio.

El tiempo se les había ido de las manos y había acabado durmiendo allí. Eso significaba que tenía que vestirse rápidamente para pasar por su casa a ponerse ropa limpia antes de ir al trabajo.

En algún momento de la noche habían decidido que dejaría allí a Jonathan y sería Christopher quien lo llevara a la clínica cuando fuera a trabajar.

La foto era de Christopher con un brazo alrededor de la cintura de una joven morena de aspecto aristocrático; el gesto le recordó cómo la había agarrado a ella la primera vez que intentó escapar de su sofá. Lily había tropezado con la caja abierta, volcándola, y la foto había caído prácticamente a sus pies.

—¿Quién es quién? —preguntó Christopher, absorto.

Estaba buscando sus llaves. Suponía que se le habían caído en algún sitio cuando Lily y él habían empezado a hacer el amor la noche anterior. En vez de convertirse en predecibles, sus encuentros amorosos mejoraban cada día que pasaba.

En lugar de contestar, ella se volvió hacia Christopher y le mostró la foto enmarcada.

—Esta mujer que rodeas con el brazo —dijo. Tenía la horrible sensación de que no iba a gustarle la respuesta.

Al ver lo que tenía en las manos, la mente de Christopher se quedó en blanco un instante.

—¿De dónde has sacado eso? —preguntó cuando pudo, con la garganta seca.

—Se ha caído de esa caja cuando la he volcado por accidente —señaló la caja que seguía en el suelo, de lado—. ¿Quién es, Christopher? —repitió Lily. Con cada palabra, el vacío que sentía en su interior se acrecentaba, amenazador—. Tiene que ser alguien, o no habrías empaquetado la foto.

—Yo no me ocupé de eso —le recordó él—. Lo hicieron los de la mudanza.

En cualquier caso, lo indudable era que la foto había estado en su casa, o nadie la habría guardado. El que Christopher estuviera evadiendo la respuesta incrementó su ansiedad.

—Bueno, pero es tuya —insistió—. Si no, los de la mudanza no la habrían metido en una caja. Además, tú sales en la foto y es tu brazo el que rodea su cintura —cada palabra dejaba un sabor amargo en su boca—. ¿Quién es, Chris? —preguntó Lily por tercera vez, impacientándose. Por supuesto, ambos tenían un pasado, pero no le gustaba la idea de no saber suficiente de él, ni que él tuviera secretos.

—No es nadie —dijo él. Le quitó el marco y lo tiró sobre la cama revuelta, boca abajo.

—Si no fuera nadie, lo habrías dicho desde el principio —Lily cuadró los hombros, desafiante—. Cuando te hacen una foto con «nadie», no la enmarcas. ¿Por qué no me dices quién es?

Christopher resopló. Había estado convencido de haber tirado esa foto, todas las fotos de ella.

—Porque ella ya no tiene importancia.

—Pero la tuvo una vez, ¿no? —infirió Lily de lo que había oído.

—Una vez —admitió él; decir lo contrario habría sido una mentira.

—¿Cuánta importancia? —preguntó Lily con voz queda.

Christopher se sintió en la obligación de hacerle un breve resumen del tiempo que había pasado con Irene.

—Se llama Irene Masterson y estuvimos comprometidos, pero ya no lo estamos —recalcó—. Lo dejamos hace tres meses.

«Tres meses». Las palabras resonaron en la mente de Lily. Estaba con ella de rebote. No había otra forma de interpretarlo. Era un relleno, algo para mantenerlo en pie mientras se recuperaba. No sabía cómo había podido ser tan estúpida como para pensar que su relación llegaría a algún sitio. Las cosas solo llegaban a abismos oscuros.

Lily lo miró un momento, muda. Tenía la sensación de que su frágil mundo se estaba desmoronando ante ella.

—¿Y no te pareció lo bastante importante como para decírmelo?

—El tema nunca surgió —era lo único que podía alegar en su defensa.

—Tal vez debería haber surgido —respondió ella, dolida—. Preferiblemente antes de que las cosas se complicaran entre nosotros —había estado a punto de decir «se pusieran serias», pero se controló. Él no podía ir en serio si le había ocultado algo tan importante. Se había estado engañando respecto a su sentimientos por ella. Era dolorosamente obvio que había dado demasiada importancia a lo que había entre ellos. No se trataba de una relación, no era sino una forma de pasar el tiempo.

—No recuerdo un solo momento en que hubiera venido a cuento. ¿Cuándo se suponía que iba a decirlo? —preguntó él—. ¿Justo antes de acostarnos? «Disculpa, Lily, pero antes de hacerlo, deberías saber que tuve novia formal durante unos años y que estuvimos comprometidos cinco meses».

Cinco meses. La mujer de la foto había estado comprometida con él cinco meses, más tiempo del que había pasado desde que ella lo conocía. Además, la ruptura era reciente, lo que convertía su presencia en la vida de Christopher en algo, como poco, inestable. La idea le robó el aire y le revolvió el estómago.

—Sí —contestó—. Tendrías que habérmelo dicho, tendrías que haber dicho algo.

Lily inspiró profundamente.

La culpa era suya, no de él. Era suya por dejarse rendir por el anhelo y la soledad que había sentido, por creer que, finalmente, había encontrado un hombre estable y decente, alguien a quien amar y con quien compartir su vida. Pero Christopher no era ese hombre. No podía serlo después de su reciente ruptura. Ella no quería ser la chica que arreglaba los destrozos causados por otra persona, un apoyo mientras la parte dañada sanaba.

—¿Por qué no sigues comprometido? —preguntó con voz carente de emoción.

—Ella y yo buscábamos cosas distintas —Christopher alzó un hombro y lo dejó caer con descuido—. Ella quería que yo cambiara, que fuera otra persona, que encajara en su mundo de sangre azul. Yo no quería cambiar.

Lily se esforzaba por entender, por asimilar lo que acababa de descubrir por accidente. Intentaba decirse que no tenía importancia, pero cada fibra de su ser le decía que importaba, y mucho.

—¿El compromiso se desintegró por sí solo?

—Seguramente habría acabado por desintegrarse —Christopher no sabía qué decir para arreglar lo que parecía haberse roto en unos minutos.

—¿Pero? —Lily sostuvo su mirada.

—Pero con lo que estaba ocurriendo, con la pérdida de mi madre, solo deseaba irme y terminar con todo de una vez —explicó él. Su única opción era decirle la verdad y rezar por que no tuviera que arrepentirse de hacerlo.

—¿Fuiste tú el que lo rompió? —quiso confirmar ella, con rostro inexpresivo.

—Sí —asintió Christopher.

—Te comprometiste con una persona a la que amabas y luego rompiste el compromiso —lo presionó ella. Necesitaba que todo quedara perfectamente claro.

Él habría querido negarlo, decir que nunca había amado a Irene. Pero sí la había amado y sabía que, si mentía, antes o después, sufriría las consecuencias. El daño sería irreparable.

—Sí.

Una abrumadora oleada de tristeza envolvió a Lily cuando oyó esa palabra. No podía quedarse allí ni un segundo más, si lo hacía se desmoronaría delante de él.

—Tengo que irme —dijo con brusquedad—. ¡Jonathan! —llamó, con voz aguda—. ¡Jonathan, ven!

Un momento después, el labrador apareció al pie de la escalera y ladró. Lily prácticamente bajó corriendo. Sin querer perder tiempo buscando la correa, agarró al perro del collar y lo condujo hacia la puerta de entrada.

Christopher voló escaleras abajo para reunirse con ella.

—Espera, habíamos quedado en que esta mañana sería yo quien lo llevara a la clínica.

—No hace falta —Lily ni siquiera se dio la vuelta—. Se viene conmigo.

—Lily… —el nombre sonó cargado del dolor y preocupación que lo asolaban.

—He cambiado de opinión, ¿vale? —escupió ella, que temía echarse a llorar en cualquier momento. Tenía que salir de allí antes de que eso ocurriera—. Tú cambiaste la tuya, ¿no? ¿Por qué no iba a poder hacer yo lo mismo?

Christopher, aunque anhelaba rodearla con sus brazos y apretarla contra sí hasta que se calmara, dio un paso atrás. Su instinto le advirtió que no la presionara.

—¿Te veré esta noche?

—No creo que sea buena idea —replicó ella, seca.

Lily casi tuvo que llevarse a Jonathan a rastras. El labrador parecía no querer dejar a sus amigos caninos ni al hombre que tan bien lo trataba. Lily tiró del collar con más fuerza y dijo su nombre con autoridad, seguido de una de las órdenes que Christopher le había enseñado. Un segundo después, Jonathan la siguió.

Luchando contra las lágrimas, Lily se dijo que el adiestramiento había dado buenos resultados. El adiestrador, en cambio, no.

—Lily, no quiero que te vayas —dijo Christopher desde la puerta.

Le costó mucho exponerse así tras haberse jurado que no pensaría en tener una relación con una mujer hasta superar su periodo de duelo. Decirse que a su madre le habría gustado mucho Lily, no la había favorecido, pero tampoco había hecho ningún mal.

—Ahora —repuso ella por encima del hombro, de camino al coche—. No quieres que me vaya ahora. Pero no tardarás en cambiar de opinión —masculló. Si no apretaba los dientes, corría el riesgo de empezar a sollozar.

Le estaba bien empleado por permitirse conectar con un hombre tan rápidamente. Las lágrimas le quemaban la garganta.

Pasaron dos semanas.

Dos semanas que avanzaron al ritmo del paso de una tortuga inválida. Cada minuto de cada día se alargaba interminablemente. Christopher tenía la sensación de estar volviéndose loco. Su trabajo pasó de ser un paraíso a convertirse en una tortura.

Le costaba concentrarse.

Intentó seguir en marcha, lo intentó de veras. Después de su ruptura con Irene, cuando disminuyó el dolor y dejó de sentirse como un imbécil por no haber visto las señales que habían estado allí durante todo ese tiempo, Christopher había experimentado una sensación de alivio. El tipo de alivio que sentía un superviviente que acaba de esquivar una bala. La joven de la que había creído enamorarse no habría sido la mujer con la que habría acabado casándose. Haberlo evitado era lo que dio paso al alivio.

Pero en el caso de Lily, el alivio brillaba por su ausencia. Solo tenía sensación de pérdida, como si algo muy especial se le hubiera escapado entre los dedos y no fuera a recuperarlo nunca.

En consecuencia, su vida se había llenado de oscuridad. Era como si la luz se hubiera apagado en su mundo y no pudiera encenderla de nuevo. La resignación hizo que todo cambiara para él.

Theresa la había alertado de que ocurría algo. Según ella, Lily llevaba dos semanas silenciosa y retraída, y había empezado a llevar al perrito al trabajo, en vez de dejarlo con Christopher. Pero, sobre todo, Lily se negaba a hablar. Siempre que le preguntaba si algo iba mal, su repostera contestaba que todo iba «bien».

Maizie decidió investigar por su cuenta.

Por eso se presentó en la clínica veterinaria el martes siguiente, cuando tuvo un respiro en la agencia inmobiliaria.

Apareció armada con uno de los perritos que aún le quedaban a Cecilia. Le dijo a la recepcionista que lo había comprado hacía poco con la intención de regalárselo a su nieta. Erika había conseguido hacerle un hueco entre dos citas.

—Hola —dijo Maizie con alegría, entrando en la sala de consulta donde le habían dicho que encontraría al objeto de su visita—. Tu recepcionista, una chica encantadora, me dijo que estabas aquí y que podía traerte a Walter. Espero que no te moleste que haya venido sin avisar. Pero Walter es un regalo para mi nieta, y quería asegurarme de que está sano antes de dárselo —explicó.

Christopher miró fijamente al perrito. Era casi idéntico a Jonathan. Pero no podía ser él.

—¿Dónde lo has conseguido? —preguntó.

—Conozco a un criador en la zona de Santa Barbara —contestó Maizie con expresión de inocencia—. ¿Por qué lo preguntas?

—Conozco a alguien que tiene un perro igual que este —Christopher intentó sonar indiferente, pero solo pensar en Lily conseguía dar un tono triste a su voz—. Me dijo que había aparecido en su puerta de repente, hace un par de meses.

—He oído decir que los labradores están de moda últimamente, porque son muy amistosos. Por eso le he comprado uno a mi nieta —comentó Maizie, sin inmutarse. Escrutó a Christopher mientras procedía a examinar al perrito—. ¿Ocurre algo, cariño?

—El perrito parece estar bien —dijo él, siguiendo con el examen.

—Hablaba de ti, Christopher —dijo Maizie con voz amable.

Él encogió los hombros, deseando que la mujer se centrara en el perrito que le había llevado y no le hiciera preguntas personales. No podía enfrentarse a ellas en ese momento.

Había dejado innumerables mensajes en el contestador de Lily. Ella no le había devuelto ni una llamada. Cuando pasaba por su casa nunca había luces encendidas y no abría la puerta si llamaba al timbre.

—Estoy bien —le dijo a Maizie.

—Sabes, Christopher, por respeto a tu madre, me siento obligada a decirte que, como actor, eres poco convincente —se estiró para ponerle una mano en el hombro—. ¿Qué te preocupa? Tal vez no pueda ayudarte, pero al menos te escucharé.

Christopher no quería hablar del tema. Concluyó su examen y la miró.

—Walter está muy sano. En cuanto a mí, señora Connors, sé que su intención es buena…

—A estas alturas, puedes llamarme Maizie —bajó al perrito de la camilla al suelo—. Diablos, claro que mi intención es buena —clavó los ojos en los del veterinario—. Cuando mi hija tenía el aspecto que tienes tú ahora, era porque algo iba mal en su relación con el hombre que ahora es su marido, un yerno fantástico, por cierto. Vamos, suéltalo. Necesitas a alguien imparcial que te diga si estás reaccionando de forma exagerada o si deberías rendirte. Dado que tu madre no está aquí para escuchar, lo haré yo en memoria suya.

Cruzó los brazos sobre el pecho y le lanzó una mirada que indicaba claramente que no iba cejar en su empeño.

—Será mejor que me lo cuentes todo. Te aviso que no pienso irme hasta que lo hagas. Si pretendes ver a más pacientes hoy, más te vale empezar a hablar, jovencito.

Capítulo 15

EL terminó por contárselo todo.

Aunque iba en contra de su buen juicio, en contra de su forma de ser, le hizo a Maizie un resumen de lo que había ocurrido, hasta el momento en que Lily vio la foto de Irene y él, la foto que él había tirado a la basura ese mismo día.

Christopher tenía la esperanza secreta de que contarlo todo en voz alta lo ayudara a purgar la horrible sensación de vacío que lo atenazaba desde que Lily había salido de su casa sin volver la vista atrás.

Pero no fue así. Si acaso, hizo que se sintiera aún peor. Desesperado, intentó describirle a Maizie sus sentimientos.

—Es como si alguien me hubiera robado las ganas de vivir —encogió los hombros, avergonzado. Estaba siendo débil y eso no era propio de él—. Lo siento, no me estoy explicando bien, y tú no has venido a escucharme parlotear como un niño de doce años que se lamentara sobre su primer amor —suspiró con resignación y se agachó para rascar al perrito detrás de la oreja—. Supongo que me recuerdas a mi madre y necesitaba que alguien me escuchara.

—Bueno, me halaga mucho que me compares con Frances, Christopher —dijo Maizie—. Tu madre era una mujer cálida y maravillosa —tocó su brazo para que volviera a ponerse en pie—. ¿Sabes lo que te diría ella si estuviera aquí?

Él dudaba que la mujer estuviera al tanto de los pensamientos de su difunta madre, pero, dado que se había desahogado con Maizie, le debía la cortesía de escuchar lo que tenía que decir. Además, la mujer le caía muy bien.

—¿Qué?

—Te preguntaría si realmente te importa esa Lily de la que acabas de hablar y, si contestaras que sí, te diría que dejaras de quedarte ahí lloriqueando e hicieras algo al respecto.

—Creo que, hoy en día, eso se denomina acoso, señora Connors —dejó escapar una risa amarga.

En cambio, la risa de Maizie sonó alegre, liviana y compasiva.

—No sugiero que te pongas bajo la ventana de su dormitorio y le recites versos de *Romeo y Julieta*, o de *Cyrano*. Estoy sugiriendo que hagas algo creativo que permita que vuestros caminos se crucen, en público para empezar.

Tal vez la mujer tuviera razón. A esas alturas, estaba dispuesto a probar cualquier cosa. No tenía nada que perder y todo por ganar.

—Sigue —la animó.

—¿Cómo se gana la vida esa joven dama? —preguntó Maizie con inocencia—. ¿Es contable, abogada o…?

—Trabaja para una empresa de catering.

—Una empresa de catering —repitió Maizie, aparentemente intrigada—. ¿Qué hace? —sabía muy bien que Lily era la chef repostera de Theresa—. ¿Cocina? ¿Sirve?

—Lily se encarga de los postres —contestó él, aunque eso no informaba sobre su talento. Pensó que «crea delicias» se habría aproximado mucho más a la realidad.

—Ah, perfecto —dijo Maizie con entusiasmo.

Christopher no entendía nada. A sus pies, el perrito empezaba a mordisquear las patas de la camilla. Christopher sacó un hueso de goma y se lo ofreció. Walter aceptó el cebo.

—¿Perfecto? —repitió, mirando a Maizie.

—Sí, porque se me ha ocurrido un plan. De vez en cuando, el refugio para animales de Bedford celebra el día Adopta al Mejor Amigo. Las empresas locales colaboran con donaciones u ofreciendo su tiempo.

—Conozco esos eventos —como era voluntario en el refugio, recibía sus circulares—, pero no veo…

—Podría tirar de algunas cuerdas, hacer unas sugerencias, poner el evento en marcha en, digamos, una semana, dos como mucho —explicó Maizie a toda velocidad.

—Sigo sin entender qué tiene eso que ver con…

Maizie alzó un dedo para silenciarlo.

—Piensa en cuánta gente iría a ver a los animales si la publicidad mencionara una degustación de pastas y que los beneficios se destinarían a mantener el refugio operativo. «Ven a probar las pastas y vuelve a casa con un amigo» —dijo Maizie, sacándose un eslogan de la manga.

Después, miró a Christopher pensativamente.

—¿No me dijiste que eras voluntario del refugio y a veces ibas a echar un vistazo a los animales, para asegurarte de que están sanos? —también conocía la respuesta a esa pregunta.

El rostro de él se iluminó cuando comprendió por fin el plan de la amiga de su madre.

—¿Sabes una cosa? Eso podría funcionar —dijo—. Y Lily hace unas pastas exquisitas —hizo una pausa y la miró, intrigado—. ¿Cómo has sabido eso? ¿Cómo sabes que Lily hace pastas?

—No lo sabía —había sido un desliz que Maizie se apresuró a enmendar—. Lo he dicho por decir algo. Reconozco que tengo debilidad por las pastas.

—Pues si ese plan consigue que vuelva a hablarme, señora Connors, me aseguraré de que reciba una pasta diaria durante el resto de su vida —prometió él, animándose con la idea.

—Que sin duda sería breve, si empezara a permitirme esos caprichos —rio ella. Se inclinó para recoger al perrito que le había servido como excusa—. Entonces, ¿seguro que Walter está sano?

—Está de maravilla —aseguró él. Miró al labrador pensativamente, mientras le rascaba la cabeza—. Se parece muchísimo al perrito de Lily —comentó pensativo.

—Entonces, el perrito de Lily debe de ser muy guapo —Maizie le guiñó un ojo.

Después se dio la vuelta y salió antes de que Christopher pudiera ver la amplia sonrisa que iluminaba su rostro.

Cuando Theresa se lo dijo, la reacción instintiva de Lily fue escabullirse. Sabía que, si le daba alguna excusa que justificara que no podía ir a servir las pastas en el evento, la mujer la aceptaría.

Pero eso habría supuesto mentirle a una mujer que era como una segunda madre para ella. Además, supondría un problema para Theresa, que le había dicho que andaba escasa de ayuda. Por lo visto, en el último momento, dos de las camareras se habían puesto enfermas y no iban a poder ir a trabajar.

A Lily no le importaba trabajar, y menos estar rodeada de gente que alababa sus postres. Pero ese evento en concreto era una feria de adopción de animales abandonados, que organizaba el refugio de la localidad. Y eso significaba que Christopher podría estar allí.

Sabía que ofrecía sus servicios voluntarios periódicamente, e iba al refugio a tratar a los que estaban enfermos. Era curioso que lo mismo que la había llevado a adorarlo, en ese momento la inquietara.

Habían pasado más de dos semanas desde que había salido de su casa sin intención de volver. Dos semanas en las que había funcionado, más o menos, como si careciera de corazón. No había contestado a ninguna de sus llamadas desde entonces.

Aquella noche había empezado siendo una de las mejores de su vida para convertirse en una de las peores poco después.

Durante un momento, breve y luminoso, había creído encontrar al hombre que había buscado toda su vida. Christopher y ella parecían almas gemelas respecto a muchas cosas.

Había terminado corriendo hacia él, cuando debería haber caminado lentamente. Muy despacio, hasta conocerlo bien.

Pero había corrido y, de repente, una bomba había caído sobre su mundo, devastándolo.

Además de no decirle que había estado comprometido, había sido él quien había roto el compromiso, y hacía muy poco tiempo. Eso implicaba que se comprometía con seriedad. Si podía romper un compromiso una vez, era muy capaz de volver a hacerlo. La llevaría a las cumbres del paraíso para luego dejarla caer en el abismo de la amargura. Incluso si él podía olvidar dejar el pasado atrás y cambiar, requería tiempo. No podía estar preparado para algo sólido tan poco tiempo después de romper su compromiso. Antes o después, Christopher se daría cuenta de eso, y cuando lo hiciera se alejaría de ella por su propio pie.

No estaba dispuesta a correr ese riesgo. A arriesgarse a que le arrancara el corazón del pecho y la dejara hundirse en la soledad y la desesperanza. Sencillamente, no podía. Prefería no soñar a ver cómo sus sueños se rasgaban para convertirse en jirones.

En ese momento sentía dolor, pero habría sentido mucho más si seguía viendo a Christopher, seguía amándolo, para acabar siendo abandonada.

—Eres mi salvavidas —estaba diciendo Theresa, saboteando con su elogio cualquier excusa para escabullirse—. Tengo tan poco personal para este evento, que es posible que tenga que llamar a mis hijos para que vengan a echar una mano. Esta Feria de Adopción promete ser monumental —Theresa miró de reojo a su protegida—. No te molesta hacer esto, ¿verdad, Lily?

Lily se obligó a sonreír. No iba a fallarle a Theresa, incluso si tenía que pasarse toda la velada mirando por encima del hombro para evitar un encuentro indeseado.

—No, claro que no.

—Es por una buena causa —le recordó Theresa—. Pero no hace falta que te lo diga. Una vez que acoges a una mascota en tu casa y le abres tu corazón, empiezas a ver a todos los animales sin hogar de forma diferente —Theresa miró las cajas de pastas, listas para su transporte—. Por cierto, has vuelto a superarte a ti misma. Todo huele divino, incluso embalado —sonrió de oreja a oreja—. ¿Estás lista?

—¿Para irnos? Claro —respondió Lily, saliendo de su ensimismamiento.

Estaba lista para transportar las pastas que había hecho, lista para hacer su trabajo. Pero, de ninguna manera, estaba lista para volver a ver a Christopher.

Solo podía desear que no apareciera. Al fin y al cabo, no iba a haber animales enfermos en el evento. El objetivo de la feria era conseguir tantas adopciones como fuera posible. Eso casi garantizaba que solo estarían en exposición los animales más sanos.

Era muy probable que Christopher no estuviera allí.

Lily seguía repitiéndose eso mismo más de una hora después.

La feria de adopciones estaba en marcha, y al menos una cuarta parte de los habitantes de Brandon habían ido a echar un vistazo a los animales disponibles y, también, a probar la comida.

Sus pastas estaban desapareciendo a toda velocidad. Tenía la esperanza de que los que se las estaban comiendo también estuvieran planteándose adoptar a uno de los gatos, perros, conejos o hámsteres que había en la exposición.

—Está claro que tus pastas son una de las mayores atracciones —dijo Theresa, acercándose a la mesa en la que estaba Lily—. Creo que para el final del día, tu «contribución», será la que haya recaudado más dinero para el refugio —comentó Theresa con aprobación. En honor al carácter benéfico del evento, Theresa solo había cobrado la mitad de su tarifa habitual—. Deberías estar muy orgullosa de ti misma.

Aunque a Lily le gustaba recibir elogios, siempre hacían que se sintiera un poco incómoda. Nunca sabía qué decir ni cómo responder, así que solía limitarse a sonreír. Esa vez hizo lo mismo. Después, Lily simuló observar a un grupo de niños que estaban jugando con una camada de gatitos, mezcla de siamés y birmano. Por lo visto, la madre había llegado al refugio ya embarazada.

Theresa le dio una palmadita en la mano y, tras murmurar que iba a ver cómo iban los demás, se perdió entre la multitud.

Acababa de irse cuando Lily oyó una voz a su espalda.

—¿Cuánto cuesta esa pasta de frambuesa?

Lily se puso rígida. Habría reconocido esa voz en cualquier sitio. Era la voz que oía en sueños casi todas las noches. La voz que hacía que se despertara al borde de las lágrimas casi todas las mañanas.

—Dos dólares —contestó con formalidad.

—Un precio muy razonable —Christopher rodeó la mesa para situarse frente a ella. Él le dio dos billetes de dólar y ella empujó un plato con la pasta de frambuesa hacia él. Christopher alzó los ojos hacia ella—. ¿Cuánto cuestan cinco minutos de tu tiempo?

—No tienes tanto dinero —replicó ella con voz tersa.

Deseaba, más que nada, irse de allí, marcharse y dejarlo atrás. Pero no había nadie que pudiera sustituirla y no podía fallarle a Theresa tras haber accedido a estar allí.

Iba a tener que sobrellevar la situación de la mejor manera posible.

—Te he llamado a diario, Lily —dijo él en voz baja, para que nadie más lo oyera—. No has devuelto una sola de mis llamadas.

Ella lo miró con fijeza. Ignorar las llamadas había supuesto una agonía, sobre todo cuando estaba en casa. El sonido de su voz dejando un mensaje en el contestador llenaba la casa. Le llenaba la cabeza. Hacía que fuera muy difícil mantenerse firme en su postura.

—No veía ningún sentido a hacerlo, Christopher. No habría funcionado. Por favor, acéptalo —le dijo, con tanta calma como pudo.

Christopher no estaba dispuesto a dejar que se le escapara la oportunidad de convencerla.

—Lily, siento no haberte dicho lo de Irene, sobre todo porque es bastante reciente. Tienes todo el derecho a estar enfadada por eso. No debería habértelo ocultado.

—No estoy enfadada porque no me lo dijeras. No niego que me doliera, descubrirlo así, pero esa no es la razón de que no haya devuelto tus llamadas.

—Entonces, no lo entiendo —confesó, con expresión de sentirse perdido.

—Fuiste tú quien rompió el compromiso. ¿Cómo podías estar listo para tener otra relación? —le preguntó—. Te comprometiste, Christopher. Un compromiso para toda la vida —recalcó—. Y luego lo rompiste sin más. De repente, aparezco yo. ¿Quién me dice que no me dejarías a mí también, sin más? —chasqueó los dedos para dar fuerza a su argumento.

Incapaz de seguir junto a Christopher más tiempo, alzó las manos con gesto de desesperación y empezó a alejarse. Pero él tenía la zancada más larga, y si no echaba a correr, la alcanzaría en seguida. No quería montar una escena, así que dejó de andar. Tal vez, si escuchaba lo que tenía que decirle, la dejaría en paz.

—No fue así, «sin más» —contradijo Christopher, enfadado y frustrado por la acusación—. No me diste oportunidad de explicar lo que ocurrió. No estuve comprometido con Irene un día, ni una semana, fueron cinco meses. Durante ese periodo, la persona con la que creía que iba a casarme, empezó a transformarse en una mujer completamente distinta. No solo eso, también me dejó claro que esperaba que yo cambiase, que me transformara en lo que ella y su familia consideraban la pareja apropiada en su mundo.

»Comprendí que nuestro matrimonio no iba a ser

feliz. Lo que había creído que sería nuestra vida juntos, simplemente no iba a ser. Irene quería que renunciara a ser veterinario y empezara a trabajar para la empresa financiera de su padre. Resumiendo, quería que renunciara a ser quien soy. Así que rompí el compromiso, contraté a una empresa de mudanzas y volví al sitio que siempre he considerado mi hogar.

Con los ojos fijos en los de ella, Christopher agarró su mano, en parte para intentar conectar, en parte para evitar que saliera corriendo antes de que él terminara de hablar. No la conocía lo bastante bien para saber lo que era capaz de hacer en un momento de tensión.

—Tras la ruptura, lo último que quería era involucrarme en otra relación, pero no había contado con conocer a alguien tan especial como tú. Hiciste resurgir todas las cosas buenas que me esforzaba por enterrar —confesó—. Hiciste que me sintiera útil y entero, y también que deseara protegerte.

Tenía que conseguir que Lily lo entendiera, abrirle su alma para que viera lo mucho que ella significaba para él.

—Estaba seguro de nunca podría volver a sentirme tan vivo como ahora, pero ocurrió gracias a ti. Sé lo que siento por ti. No quiero volver a la oscuridad, Lily. Por favor, no me obligues a hacerlo —aumentó un poco la presión de sus manos y lo alivió ver que ella no las apartaba—. No he podido concentrarme, ni pensar a derechas, desde que te marchaste aquella mañana. De hecho —añadió con expresión solemne—, los animales están empezando a darse cuenta de que me pasa algo.

Eso hizo reír a Lily. Y se dio cuenta de que era la primera vez que se reía desde antes de haber huido de la casa de Christopher.

—Digamos, solo por hablar —puntualizó—, que te creo...

—¿Vas a darme una segunda oportunidad? —se adelantó él, interrumpiéndola.

—Si tuvieras una segunda oportunidad en esta relación, ¿qué harías con ella?

—Te pediría que te casaras conmigo —dijo él sin el menor titubeo, sin concederse siquiera un instante para pensarlo. Estaba seguro de lo que quería.

Ella alzó la barbilla. Christopher conocía el gesto: se preparaba para una confrontación.

—Igual que se lo pediste a Irene —dijo ella.

—No, porque ahora sé que hay que evitar a las Irenes de este mundo en la medida de lo posible —afirmó él—. No quieren un esposo, quieren un proyecto de bricolaje. Yo quiero a alguien que me quiera, a quien le guste por lo que soy y lo que tengo que ofrecer. Más que eso —la sinceridad de sus ojos era tanta que a Lily le llegó al alma—. Te quiero a ti.

—¿Durante cuánto tiempo? —lo retó ella, aunque estaba perdiendo toda capacidad de resistencia.

—No tengo ni idea de cuánto viviré —dijo él, sin recurrir a frases poéticas—, pero sea el tiempo que sea, quiero poder abrir los ojos cada mañana y verte a mi lado. Estas dos semanas sin ti han sido un infierno y estoy dispuesto a hacer cualquier cosa, lo que sea, por una segunda oportunidad.

—¿Cualquier cosa? —preguntó ella, ladeando la cabeza.

—Lo que sea —repitió él con sentimiento.

—Bueno —hizo una pausa—, podrías empezar por besarme.

—¡Hecho! —exclamó él, rodeándola con los brazos.

Y la besó.

Epílogo

BUENO, chicas, creo que podemos apuntarnos un nuevo éxito —les susurró Maizie a Theresa y a Cecilia.

Las tres mujeres estaban sentadas juntas en el tercer banco de la iglesia de St. Elizabeth Ann Seton. Habían pasado seis meses desde la Feria de Adopción del refugio de animales, que había dado lugar a más de un final feliz.

Maizie sonrió con orgullo mientras observaba al joven que había ante el altar. Estaba de cara hacia la entrada de la iglesia, esperando con ansiedad a que se abrieran las puertas y diera comienzo el resto de su vida.

El esmoquin le sentaba bien. Estaba guapísimo.

Theresa se llevó un pañuelo a los ojos. Fuera a las bodas que fuera, y en los últimos años habían sido muchas, oír los acordes de la *Marcha nupcial* siempre conseguía que las lágrimas afloraran a sus ojos.

—Frances tendría que estar aquí —le dijo a sus amigos con añoranza.

Cecilia se acercó un poco para que tanto Theresa como Maizie pudieran oírla.

—¿Qué te hace pensar que no lo está? —inquirió con expresión seria.

Ninguna de sus amigas cuestionó la pregunta. La idea de que su amiga observara con aprobación a su hijo, desde arriba, les pareció reconfortante.

—Oh, ¿no está espectacularmente guapa? —se admiró Theresa mientras Lily caminaba lentamente hacia el altar, acercándose con cada paso al hombre con quien iba a compartir el resto de su vida.

—Todas las novias están guapas —susurró Maizie.

—Pero algunas lo están más que otras —reiteró Theresa con tozudez. En el último año, Lily se había convertido en alguien muy especial para ella.

—¿Creéis que llegó a descubrir cómo apareció Jonathan en su puerta aquella mañana? —preguntó Cecilia a las otras.

—Estoy bastante segura de que ella no. Pero creo que Chris podría tener sus sospechas al respecto —susurró Maizie, recordando la visita improvisada que le había hecho. Al fin y al cabo, era un joven muy inteligente.

—Ya te dije que no tendrías que haber utilizado un perro de la camada de Princesa —le recordó Cecilia.

—Eso ya es agua pasada —Maizie se encogió de hombros—. Además, el truco funcionó, ¿no? —dijo, esbozando lo que sus amigas denominaban «su sonrisa traviesa».

—Shh, está a punto de empezar —Theresa agitó la mano para silenciarlas e inclinó la cabeza hacia el sacerdote, que ya se encontraba ante el altar.

—Aún no —contradijo Maizie, mirando por encima del hombro hacia la entrada de la iglesia. Antes de que se cerraran las puertas del todo, tenía que hacer su entrada otro participante en la boda.

Se oyó un rumor en la iglesia y los invitados empezaron a darse codazos, volviéndose para mirar al último miembro del cortejo nupcial.

—Vaya, mira eso.

—Desde luego, no es lo típico en una boda, ¿eh?

—¿No les da miedo que se trague los anillos?

La pregunta la realizó el hombre que estaba sentado justo delante del trío de amigas.

Incapaz de contenerse, Maizie le dio un golpecito en el hombro. Cuando volvió la cabeza para mirarla, le explicó la situación.

—No les preocupan los anillos porque es el perro de la novia, y el novio lo ha adiestrado de maravilla. Además, si se fija bien, verá que los anillos están sujetos a la almohadilla de satén que lleva en la boca.

—¿Y por qué han incluido a un perro en su boda? —inquirió otra persona.

—Por lo que he oído, si no hubiera sido por ese perro, nunca se habrían conocido ni habrían acabado juntos —contestó el hombre que tenía al lado, como si lo supiera de muy buena tinta.

—Imagínate —murmuró Maizie.

Miró de reojo a Theresa y a Christopher, con ojos chispeantes de humor. Lo que el hombre había dicho expresaba la visión que Lily y Christopher podrían haber tenido sobre cómo se había producido su encuentro, pero Theresa, Christopher y ella conocían toda la historia.

Maizie se recostó en el banco y prestó toda su atención a lo que decía la pareja ante el altar. Nunca se cansaba de escuchar el intercambio de votos, que sellaba el compromiso entre dos personas.

«Esta, Frances, va por ti», declaró Maizie en silencio.

Entonces, igual que a sus dos amigas, se le llenaron los ojos de lágrimas.